年間3万人を診る
専門医がやさしく解説

頭痛専門外来へ行こう！

頭痛専門医
金中直輔
Kanenaka Naosuke

現代書林

はじめに

「頭痛外来」とは、読んで字のごとく頭痛を主訴とする患者さんのための外来です。頭痛外来を受診する人には、初めて頭痛を経験した人もいれば、長年頭痛に悩まされてきた人、一時期は落ちついていたものの頭痛が再発し長引いている人などさまざまでしょう。

実は「頭痛外来」という正式な診療科は存在せず、一般内科医（プライマリケア医）や神経内科医、脳神経外科医などが頭痛患者を受け入れているという意思表示をするために標榜している造語です。めまい外来や認知症外来など、症状を冠に付けて診療を特化した表記も同じです。

「頭痛外来」は、おそらく2003年頃、山梨県で診療している脳神経外科医師がご自身の診療所に「頭痛」を冠とした頭痛診療所を掲げたことが始まりです。

その後、頭痛診療に関心を持つ専門家の集まりである「日本頭痛学会」の啓発活動により、頭痛診療を掲げる病院や診療所が増え、このように頭痛外来を掲げるところが増えたと思われます。つまり、かつては、「たかが頭痛」であった頭痛という症状が、実は根が深く難治性である疾患群であるという認識が医師の中で高まっている証拠と考えられるのです。

また、こうした中、片頭痛の予防薬である抗 CGRP 関連注射製剤（以下、抗 CGRP 関連製剤）が2021年4月より認可されたことによって、それまで頭痛の専門医が手を尽くしても良くならなかった難治性の片頭痛患者さんが痛みから解放されるようになったことも、頭痛外来が増えている理由でしょう。

今から20年以上前、夢の治療薬と脚光を浴びたトリプタン製剤(2000年、日本で使用開始)を使っても、片頭痛の患者さんは減りませんでした。減るどころかむしろ増加し、薬物使用過多に伴う頭痛(以前は薬物乱用頭痛と言われていました)の患者さんが増えました。

手を尽くしても改善しなかった患者さんの多くが現在、抗CGRP関連製剤で救われている事実があります。これは頭痛外来の医師にとっても、患者さんにとっても、20年にわたるトンネルの暗闇にさす一筋の希望の光となっています。

一方、このような恩恵をまだ受けられていない患者さんはたくさんいると考えられます。衝撃的なデータがあります。日本頭痛学会認定研修施設で、片頭痛治療を専門に行っている立岡神経内科の調査で、片頭痛と診断された患者135人のうち、約75%が過去にかかっていた医師からは「片頭痛以外の頭痛」と誤って診断されていたのです(次ページの図参照)。

頭痛診療はプライマリケア医(かかりつけ医、一般内科医)が最初の窓口になることが多く、脳神経外科や頭痛外来への受診にたどり着く患者さんは多くはありません。片頭痛を見逃してしまうケースが多い背景には、専門医でない医師にとって、頭痛診療の知識と重要性、頭痛に苦しむ患者さんの現状に対する理解がいまだ十分でないという状況があります。また、一般国民においては頭痛のある人以外にとって、それどころか、頭痛のある人でさえも、「たかが頭痛」という認識になってしまっている現状があるのです。

そして、このことが頭痛患者さんを苦しめていることにつながっ

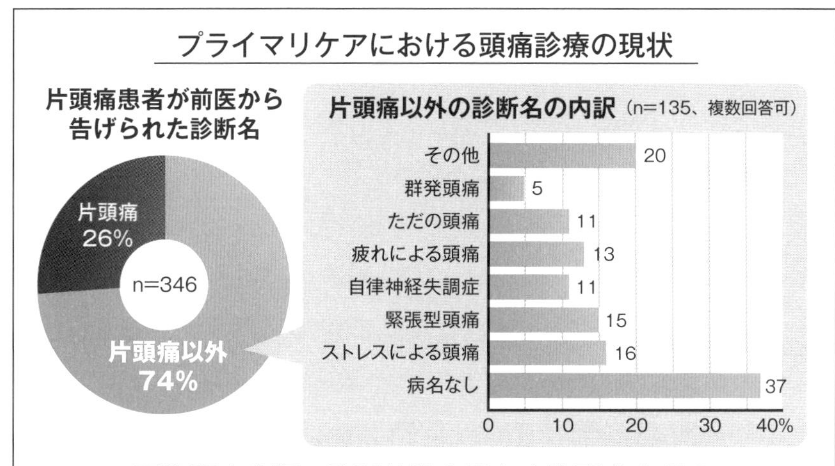

ていることも忘れてはいけません。頭痛が起こると日常生活が障害され、仕事や趣味を休むことを余儀なくされます。それだけでなく、「なぜ頭痛くらいで仕事を休むのか？」と理解されず、時には罵倒され、一人孤独に悩み苦しむ人は多いのです。さらに長期に渡り頭痛に悩み苦しめられた結果、うつ症状を併発し、次第にひきこもりとなり社会から孤立するケースも珍しくありません。

では、頭痛外来に行けばすべてが解決するかといえば、必ずしもそうとはいえません。たくさんのクリニックや病院で「頭痛外来」を行うことは、頭痛に悩む患者さんにとって受診の手がかりとなるため、非常に有益です。しかし、誤解を恐れずに言えば、頭痛外来を掲げる施設が増える反面、頭痛外来での診療の中身が薄まっていると筆者には感じられるのです。具体的に言えば、患者さんが頭痛を訴えて来院した後のプロセスとして、命の危険がある頭痛かどうかの鑑別で終わってしまっている場合が多いということです。

実際のところ頭痛外来を受診しても「満足のいく診療をしてもらえた」という患者さんは非常に少なく、その後、何軒もの医療機関を転々とした挙句、当院へ受診する患者さんも少なくありません。患者さんが頭痛外来に求めるものは「頭痛の軽減、生活支障度の低下」が第一です。医師の人柄や立地、設備の充実性が優先されるものではありません。とにかく頭痛さえ改善すれば満足を得られ、たとえ家から遠くても受診するのです。

頭痛診療の第一歩は、クモ膜下出血を代表とする脳卒中などの、脳や体の一部に原因があることに伴う頭痛（二次性頭痛という）を除外することです。命に関わる病気が見つかった時は適切な医療機関で、手術を含めた緊急治療を行えるように段取りすることが必要です。しかし、多くの頭痛はこのような二次性頭痛ではなく「命に関わらないものの、生活には大変支障をきたす一次性頭痛」です。本来、頭痛外来ではこれらのいわゆる慢性頭痛の診療こそが重点的になされるべきなのです。

つまり、「命に関わる病気は見つかりませんでした。よかったですね」という、通りいっぺんの診断結果ですませてはいけないということです。もちろん、深刻な病気が見つからなかったのは幸いなことですし、それだけでホッとする患者さんがいることも事実です。しかし、これまで長年、慢性頭痛で悩んできた患者さんはこの言葉を何度も聞いてきたはずです。そして患者さんの希望は「よかったですね」ではなく、今ある頭痛をどうやったらなくせるのかということなのです。

筆者はこうした人たちに慢性頭痛のさらに詳しい診療を行う「頭痛専門治療」という概念を掲げ、いわゆる「頭痛外来」とは区別しています。頭痛専門治療は治療期間も長く、医師と患者さんの信頼関係の構築、患者さんの置かれた社会的背景までも包括的に考慮して治療していく必要があります。

慢性頭痛のほとんどは片頭痛、緊張型頭痛、三叉神経−自律神経障害頭痛ですが、これ以外にも頻度が低いものの、たくさんの一次性頭痛が存在しています。

これらをきちんと分類できなければ、効果的な治療はできません。また、頭痛に対して最も多く処方される消炎鎮痛薬（以下、鎮痛薬）は、市販薬も含め、「痛みが怖いから」と早めの服用を繰り返すうちに服用量が増え、副作用で痛みに敏感になり、さらに服用量が増えるという悪循環を繰り返す「薬物使用過多による頭痛（薬物乱用頭痛、MOH）」を引き起こすことがあります。以前は薬物乱用頭痛と言われていましたが、この言葉は非合法薬物を連想しかねないため、名称が変更されたのです（薬物乱用頭痛はカッコ書きで表記するようになっています）。

つまり、鎮痛薬を服用しても良くならない場合は、予防薬を併用することや、頭痛が悪化する要因を避ける生活療法を併用していくことが大事なのです。そう考えていくと、慢性頭痛の治療は一人ひとりに合わせたオーダーメイド治療がポイントであり、それが頭痛専門治療ではないかと思うのです。

だからこそ筆者は「頭痛外来」の先に、あるいはその中に「頭痛専門治療」があるべきだと考えています。

頭痛外来で適切な頭痛専門治療をしっかり受けることで、頭痛ゼロの「寛解（かんかい）状態」に近づけることは可能です。適切な頭痛治療によって頭痛のない人と同じ生活を手にすることができるようになったケースを筆者はたくさん経験しています。本書では、年間３万人近い頭痛の患者さんを診ている筆者が、診て・聞いて・話して肌で感じた頭痛・頭痛患者さんとの奮闘記を、頭痛に悩む患者さんにわかりやすく解説することで、身近な頭痛外来へのより良いかかり方を見つけることにつなげたいと考えています。

暗いトンネルの中から一筋の光がさす、この本が人生を変えるきっかけになることを願って、長年、頭痛に苦しんできた患者さんが一人でも多く幸せな生活に戻れることを期待しています。

2024年５月

頭とからだのクリニック かねなか脳神経外科　院長　金中　直輔

目次

第 2 章

頭痛はなぜ起きるのか?

第 4 章

気をつけておきたい「子どもの頭痛」

第 1 章

頭痛外来へようこそ

誰にもわかってもらえない頭痛の悩み

この本を手に取ってくださった人の多くは、長年、頭痛に悩んできた人ではないでしょうか。こうしたいわゆる慢性頭痛の代表が片頭痛と緊張型頭痛です。脳梗塞やクモ膜下出血など、病気が原因で起こる頭痛と違い、命に関わることはありませんが、日常生活に大きな支障をおよぼすやっかいな頭痛です。日本では約4000万人が慢性頭痛だという報告もあり、想像以上に慢性頭痛に悩まされている人が多いと想像されます。

言い方を換えれば、ありふれた病であることが、逆に慢性頭痛の深刻さが頭痛持ちでない人にはなかなか理解されない原因かもしれません。頭痛の症状や重さは一人ひとり違います。頭痛発作も1年に数回程度の人から、1か月に何度も起こる人までいます。

市販の鎮痛薬を1回飲めばすぐに良くなる人もいれば、なかなか効かない人もいます。吐いたり、寝込んだり、あるいは、「また、あの頭痛がやってくるのではないか」という強い恐怖から約束事ができない、気持ちもうつ傾向になってしまう人もいるのです。

「この苦しみを誰にもわかってもらえない。ただただ、孤独です」

ある片頭痛の患者さんから聞いたこの一言が忘れられません。

その患者さんはクリニックを開業してからまもなくやってきました。27歳の女性の会社員でした。仮に鈴木さんとしましょう。

鈴木さんは小学生の頃から頭痛があり、頭痛がひどい時には学校を休んだり、早退することもありましたが、市販の鎮痛薬で対処できていました。
　社会人になり頭痛の頻度が増え、少し悪化したように思いました。特にひどくなるのは天気が悪い時や生理の時。会社でパソコン作業をしていると肩と首がこってきて、その後、目の奥が痛くなって気持ち悪くなります。
「薬を飲むのですがひどいと気持ち悪くて嘔吐してしまいます。鎮痛薬も長時間、効かなくなってきました。仕事を休むわけにもいかず出勤しますが、仕事中は頭痛が強く、時には会社のトイレで嘔吐したこともあります」と話します。
　仕事のストレスについて聞くと、「最近部署のリーダーとなり、残業時間も多くて睡眠時間も減ってしまいました」ということでした。
　片頭痛を含む慢性頭痛の多くは心理的ストレスがあると悪化します。「上司と相談して、頭痛の頻度が増えてきてつらいことを話してみてはどうか？」と提案しましたが、彼女は首を横に振ります。
「何度か伝えているのですが、上司には頭痛の経験がなく、理解してもらえないんです。冗談半分に『たかが頭痛だろう！』と言われたこともありますし、最近はそれどころかいじめのようにさらに仕事を押し付けてくるのです」というのです。
「同僚にも伝えていますが、わかってもらえているかは不明です。みんな忙しいので相手にしてくれない感じです。頭痛はつらいですが、誰にも理解してもらえないことがただただ孤独で、つらいです」とおっしゃいました。
　鈴木さんはこの時点で、休職を考えていました。つらい症状があっても休みにくい。それどころか、さらに仕事を増やされるような状態では、とても精神的に持たないと判断されたのでしょう。

鈴木さんは、頭痛外来での治療がスムーズに進み、合う薬が見つかったため、職場を休むことなく職場に復帰しましたが、今でも慢性頭痛に対する周囲の理解不足を憂慮されています。

けがや臓器の病気などと違い、慢性頭痛は外見上、健康な人と変わりはありませんし、その異常を画像検査で見ることも不可能です。けがの場合は「どうしたの？　痛くない？　何かあったら言ってね」と声をかけてくれます。がんの場合は「治療に専念してね。無理しちゃダメだよ」と心配をされます。しかし頭痛は命に関わらないありふれた症状であるため「誰にだって、頭痛くらいあるわよ」と周囲から冷酷な言葉をかけられることも珍しくありません。

本人はわかっています。「頭痛くらい」であるということを……。しかし、つらくて仕方ないのです。さらに痛みは他者が感じることができない主観的なものであることが、慢性頭痛に対する理解不足を助長し、患者さんに「つらい思い」をさせてしまっています。

慢性頭痛による経済損失は信じられないほど大きい

一方、近年、頭痛が社会や経済に大きな損失を与えていることが明らかになってきました。米国の研究では片頭痛の発作の３分の１は仕事中に起こり、発作の3分の2は多大な労働生産性低下を引き起こしていると報告されています。

国内の調査では埼玉国際頭痛センターのセンター長である坂井文彦医師が、あるIT企業で、片頭痛を抱える社員に対して行った調査が知られています。労働生産性は「アブセンティーズム」（病気による欠勤や休業)、「プレゼンティーズム」（病気による労働遂行能力低下）の二つの指標から算出されますが、米国の調査ではプレゼンティーズムはアブセンティーズムに比べ、より多くの労働損失につながっていることが明らかにされています。

坂井医師の調査では片頭痛の発作が起きた際、「我慢をして仕事をするが、生産性が極端に低下」「出勤はするが生産性・能率が極めて低い」「時々欠勤する」という声が多かったといいますが、このように、片頭痛患者の多くが、頭痛発作により仕事で良いパフォーマンスを発揮できない状況にあるのです。また、片頭痛の患者さんのうち40%は発作のない日でも肩こり、集中力低下、疲労感などの症状があることもわかりました。

なお、坂井医師の調査では片頭痛患者一人あたりの経済的損失は年間4万1294円または24万3870円（算出法により異なる）、日本全体に換算するとそれぞれ年間3600億円、または年間2兆3000億円と推計されました。

最近はがん治療をはじめ、アレルギー疾患などの慢性疾患について、仕事をしながら治療を続ける「両立支援」への取り組みを国が企業に求める動きが出ています。

慢性頭痛について職場の理解が進み、周囲の理解のもと、対象となる人に両立支援を受けられる環境が広がることが望まれます。

（参考：https://president.jp/articles/-/52432、『頭痛の診療ガイドライン2021』P.114）

子どもの頭痛は不登校の引き金として注目されている

慢性頭痛は実は子どもにも起こることは意外と知られていません。むしろ、頭痛診療をしていると、その頻度は高いことがわかります。「子どもの頭痛は多い」ことを保護者は知っておく必要があります。

統計では小学生の片頭痛は3.5％、緊張型頭痛は5.4％に認められ、これが中学生になると4.8〜5.0％（片頭痛）、11.2％（緊張型頭痛）、高校生になると15.6％（片頭痛）、26.8％（緊張型頭痛）と増えていきます。片頭痛を持つお子さんで一番多い共通点は「車酔い」です。

女児の場合は生理が始まる時期から、ホルモンの影響で片頭痛を発症する人が増えてきます。また、思春期の頭痛は不登校やひきこもりの引き金となっていることもわかっています。

さらに思春期は体が子どもから大人に変化する途中であり、未熟な部分が多いのですが、実は脳も例外ではなく、多くのストレスや変化に対し、さまざまな症状が起こりやすい時期です。頭痛もそのあらわれと言えます。

大人が疲れた時に「仕事を休みたいなぁ」と感じるように、子どもは学校や習い事に対して、自分自身の気持ちに納得できない部分があるとそれが「頭痛」という形で出てくるのです。

思春期の子どもは非常に繊細であり、体は「立派なお兄さん、お姉さんだね」といわれる見た目でも、心はまだまだ未熟な部分があります。そのギャップにより頭痛が生じると考えてください。筆者の外来でも中学校1年生から高校1年生までの受診が一番多いのですが、この4学年はそうした時期に相当します。

実際、当院にも多くの親御さんが頭痛に悩むお子さんを連れて相談にやってくるのですが、「頭痛のために学校に行けない」という子どもはとても多いです。令和3年の文科省の調査によれば小・中学校における不登校児童生徒数は24万5000人で、過去最多を更新しましたが、この中には頭痛の症状を持っているお子さんもかなりいるのではないかと思われます。

子どもの頭痛については、成長期であり、副作用の影響を考えて、できるだけ薬を使わない治療を心がけます。頭痛の原因を見極めたうえで、生活療法などの非薬物治療を含めた適切な治療を受けていただきます。しかし一方で頭痛の裏には発達障害やADHD、自閉症スペクトラムなど神経発達症の併存が隠れていることが多いことも念頭に置く必要があります。また、良くなるまでに時間がかかる場合が多く、難渋します。

こうしたケースでは神経小児科の受診も必要となります。だからこそ、親御さんには子どもが頭痛で悩んでいたら、早めに頭痛外来に連れて行ってあげてほしいのです。

死なないけど、生活できない

死ぬことはないけれど、日常生活に大きく支障がある……。慢性頭痛で悩む多くの患者さんが実感していることだと思います。先ほどお話ししたように、慢性頭痛の中でも特に片頭痛については、生活への支障度が高いことがわかっています。

片頭痛の人は日常的な動作を避けるような、つまり、それまでやっていた仕事や家事ができなくなるような頭痛と、頭痛に伴って悪心や嘔吐、または光や音に敏感になるような症状が続きます。第2章で詳しく触れますが、他にも多彩な不快症状があり、患者さんの多くは頭痛よりもむしろ、他の不快症状がつらい、あるいは心配だといってやってきます。

頭痛外来にやってくる患者さんはその大半が片頭痛といっても過言ではありません。国際分類上の診断基準に従って、きちんと診断した調査では片頭痛の有病率は8.4％、緊張型頭痛は24.4％と緊張型頭痛の方が有病率は約3倍も多いのです。にもかかわらず、なぜ、医療機関には片頭痛の患者さんばかりがやってくるのでしょうか。

それは片頭痛がとてもつらいからにほかなりません。片頭痛のつらさは頭痛というよりも、片頭痛に伴う他の症状によるものです。詳細はのちほど解説しますが、患者さんの話では、発作が起こるとつらくてとても仕事を続けることはできません。

しかし、周囲に片頭痛といっても、その大変さがなかなか理解されないため、鎮痛薬を飲みながら、何とか仕事を続けようと懸命になるのだそうです。自宅で発作が起こった時は寝込んでしまうことも多いのですが、家族から、「なまけ病」のように思われることがつらいという人もいました。

ある患者さんはこんなことも言っていました。

「コロナ禍では在宅勤務となり、自分が片頭痛の発作があっても相手にも迷惑をかけないし、自宅なので寝ることもできるし、非常に助かっていた。しかし、最近は出社が多くなり頭痛の頻度は増えるしつらいしで、いいことがないです」と。片頭痛を持っている人はこのように周囲にすごく気を遣わなければならないというつらさもあるのです。

また、片頭痛は血管の広がりが起こることで痛みが誘発されますが、血管は副交感神経が優位になり、リラックスしている時に拡張するのです。このため、片頭痛の人は仕事が休みになる週末、すなわちストレスから解放された時にも発作が起こりやすく、せっかく約束していた友だちとの会食やデート、旅行などをキャンセルせざるを得なかった経験をしてきた人が多いのです。頭痛発作が起こっていなくても、「外出先で頭痛が起こるのが嫌だから」と、ひきこもり生活をしている人もいます。まさにQOLを著しく低下させる病気といえるのです。

鎮痛薬を服用しても良くならない理由①
～痛みの症状が強く、持続時間が長い～

鎮痛薬を飲めば良くなる……。これがすべての頭痛患者さんに当てはまれば頭痛治療も頭痛外来も必要ありません。しかしそうはなりません。なぜ良くならないのでしょうか？

慢性頭痛の頻度や症状の持続時間は千差万別だと申し上げました。例えば片頭痛があっても、1年に数回程度で軽い発作であれば、市販の鎮痛薬で十分に対応できます。一方、痛みの度合いが強い人、発作の持続時間が長い人では効き目が十分ではないため、鎮痛薬を服用する回数が増えます。

こうして繰り返し鎮痛薬を服用（乱用）すると、脳が過敏になって、痛みに対する閾値（最低の刺激量）が低くなります。この結果、薬によって逆に頭痛が起こりやすくなる「薬剤の使用過多による頭痛（薬剤使用過多による頭痛（薬物乱用頭痛）、MOH）」に移行してしまうことがしばしばあるのです。

つまり、鎮痛薬が効かないからと薬の量が増える。結果、ますます頭痛がひどくなり、これを抑えるために頭痛薬を服用する、という具合に一生頭痛薬を手放せない状況になってしまうのです。この悪循環を断ち切るためには、いったん鎮痛薬をやめる必要があります。しかし、頭痛がある限り手放すことはできません。そのため同時に予防薬を使って頭痛の発作頻度や痛みの程度を減らしていく方法が必要となるのです。

トリプタンや鎮痛薬を飲んでも良くならない理由②
～薬の使い分けとタイミングが難しい～

頭痛外来では片頭痛に対して、患者さんの片頭痛の強さと頻度、生活支障度の程度によって処方を変えていきます。

頭痛発作が比較的弱く、持続時間も短い場合はいわゆる鎮痛薬であるイブプロフェン（一般名：イブプロフェン）やカロナール（一般名：アセトアミノフェン）などの単一成分鎮痛薬を頓服として処方します。しかし、頭痛発作が強く、持続時間も長いといった生活支障度の高い片頭痛の人には、鎮痛薬だけではなかなか効かないため、片頭痛のメカニズムを停止させ、いわゆる片頭痛に急ブレーキをかける役割を持つ片頭痛に特化した治療薬のトリプタン製剤というものを処方します。

このトリプタン製剤は、登場したばかりの頃（二十数年前）は「片頭痛をコントロールする夢の薬」と言われ、そのすみやかな痛みを消失させる効果が期待されました。これで片頭痛はこの世から消滅するとまで思われていました。実際に、この薬は片頭痛を頓挫させるため、従来の鎮痛薬では効果がなかった人にも有効です。

しかし一方で、処方されるようになってからわかってきたのは、トリプタンは内服するタイミングが難しく、頭痛期の始まり、つまり片頭痛発作による痛みの出始めから1時間以内に飲まないと効果が得られないということでした。つまり、患者さんの使用テクニックこそが鍵を握ることが明らかになったのです。

驚くことに、トリプタン製剤をこれまで使用していた患者さんの中には、「薬を使うタイミングがあるとは知らなかった」という人がとても多いのです。かかりつけ医に「あなたの頭痛は片頭痛かもしれないからこれを飲めばよい」とだけ言われ医療機関で処方されるケースが多い証拠です。

これはまさに医師にも大きな責任があります。説明が不十分であり、トリプタンの適性使用法が患者さんにしっかりと伝わっていない可能性があるからです。トリプタン製剤をタイミングよく使えば、多くの片頭痛は短時間でおさまります。まずは最低限、トリプタンの薬効と内服の方法を正しく教えることが大事なのです。トリプタンが効かないのでさらに追加してトリプタンを飲んでしまう。頭痛がつらいので鎮痛薬も飲んでしまう。結果的に薬ばかり内服することになり薬剤使用過多による頭痛が作られていくのです。

常に薬を内服することへの抵抗性や副作用などによる忍容性の低下

片頭痛発作が起こる頻度が多く、鎮痛薬やトリプタン製剤を使う回数が増えてきたら、予防薬を使うことが勧められます。外来では「片頭痛って予防できるんですか？」と驚く患者さんも多いますが、頭痛診療ガイドラインにおいても、月に3日以上の生活支障度が高い片頭痛の患者さんには予防療法を推奨しています。

片頭痛の予防薬には片頭痛の病気の原因の根幹となる「血管の拡張」を防ぐ薬やセロトニンの枯渇を予防する薬など、いくつかの種類があります。長年、いろいろな医療機関で治療を受けてきた患者さんたちにはすでに予防薬を使った経験のある人が多いのですが、うまくいっていません。これはなぜでしょうか？

それは第一に、毎日薬を内服することへの抵抗感、またはコンプライアンス（処方薬を指示どおり確実に内服できているかということ）の低下です。予防薬は頭痛がない時にもある時にも関係なく毎日内服しなければならないので、痛みのない時は飲み忘れが増えてしまいます。

また、予防薬は片頭痛のためだけに開発された薬ではなく、抗うつ薬や抗てんかん薬、降圧薬などメインは違う病気に使っているもので、これを二次利用している点も服用が徹底されない理由です。うつ病やてんかんの薬と聞くと内服を躊躇してしまう患者さんも多くおり、内服薬の説明をていねいに行う必要があるのです。

第二は、よく処方される片頭痛の予防薬には眠気などの副作用が出るものが多いことがあります。予防薬の種類はかなり増えているので、副作用が出た場合は別のタイプの予防薬に変えたり、飲む用量を少なくすれば、これら副作用の克服はうまくいくことがほとんどなのですが、そのことを知らされていない患者さんは多いのです。これも医師の説明不足によるところです。

また、患者さん側の問題として、「出された薬は効きませんでした、とはなかなか言い出しにくい」という話も聞きます。医師に気を遣ってか、処方された薬を実は飲んでいなくてもしっかり毎日飲んでいるように話します。

本来、薬を含めた治療法は主治医とその効果や副作用を話し合いながら調整を重ね、最良の治療を目指すものですが、残念ながら、これがうまくいっていないケースは多いようです。

これらの状況を改善するように近年、患者さんと主治医のあるべき姿について「SDM」の考え方が重視されてきています。SDMはシェアードデシジョンメーキング（Shared Decision Making）の略称で「協働的意思決定」などと訳されます。

SDMではサービスの利用者（患者）と提供者（医師）が、意思決定（治療方針の決定）に関して目標を共有し、ともに力を合わせて活動することを目指します。SDMは医療者が一方的に治療方法を専門的に説明し、患者さんがそれを聞いて自発的に受容するインフォームドコンセントとは異なります。「説明と同意」ではないことを今一度、理解してもらう必要があります。

主治医と患者さんはお互い対等なパートナーであり、どちらかが優位ということはありません。主治医はまず、患者さんの意向を適切に判断する必要があり、患者さんが何を求めているのかを把握することが重要です。その上で、共通の目標（共通意思決定）を持つ必要があるのです。

主治医が治療法について一方的に提示、説明するのではなく、どのような治療がいいのか、患者と医師がともに考え、進めていく。頭痛治療においてもSDMの考え方に沿って進めることが、患者さんの納得できる治療にもつながります。現在、片頭痛を中心とした慢性頭痛の治療手段はたくさん出てきているので、このSDMがうまくいけば、既存の薬で頭痛が良くなる患者さんは多数いるはずなのです。これこそまさに頭痛外来の役割であると思っています。

片頭痛と緊張型頭痛を区別するのは難しい

慢性頭痛で長年、医療機関に通っているのになかなか良くならない場合、間違った診断をされている可能性があります。「はじめに」で申し上げたように、片頭痛と診断された人のうち、約75％、つまり4人に3人が過去にかかっていた医師から、「片頭痛以外の頭痛」と誤って診断されています。

なぜこのようなことが起こるのかと言えば、クモ膜下出血などと違い、画像診断では慢性頭痛はわからないからです。このため、問診をして、診断を鑑別していくわけですが、二大慢性頭痛と言われる片頭痛と緊張型頭痛は症状が非常に似ている部分があります。これも診断を間違えやすい理由なのです。

例えば緊張型頭痛では肩こりが伴ったりストレスが原因だったりします。また頭痛があるために食欲が低下したりもします。首が痛くて肩こりがあって、頸椎のレントゲンでストレートネックなどがあって……、となると、たいてい緊張型頭痛と診断されています。

しかし、片頭痛でも同じような症状を呈するのです。例えば片頭痛の患者さんでは頭痛発作を呈する前に7割以上の人が首や肩のこりを感じています。そのため片頭痛の患者さんも「結構、頻繁に肩こりがあります」と訴えます。

これは後にお話しする片頭痛の予兆期、といって脳血流が低下することに由来しています。そのため、肩こりがあって頭痛があるという患者さんを診た時には、「頭痛以外の症状がないか」を問診し、頭痛以外の症状で診断をつけることが必要となるのです。

また、片頭痛の痛みは、その病名から、片側でドックンドックンと痛むイメージがありますが、そんなことはありません。むしろその頭痛のみが片頭痛であると診断すると誤った診断になります。片頭痛の痛みの40%は両側で起こります。また、ドックンドックン、ではなく、グーッとこめかみや側頭部を締め付けられる頭痛の場合もあります。この点からも大事なのは頭痛の性状ばかり診るというよりも、頭痛以外の症状を診ることです。「動いて悪化する」「悪心や吐き気」「光過敏・音過敏」「臭(にお)いでの誘発」がないかといったことを見極めることが診断への手掛かりになります。

脳神経外科医や神経内科医でもこのようなことをしっかり把握できている医師は多くありません。頭痛を専門にやっていて多くの頭痛患者さんを診ていないとわからないのです。頭痛外来への受診が必要な理由でもあります。

また、片頭痛と緊張型頭痛など他の慢性頭痛が混在している場合もあります。

さらに最初の診断では片頭痛だったものが、その後、市販の頭痛薬を適切に使わず、乱用が続いたことで、薬物使用過多による頭痛に変化していることもあります。つまり、慢性頭痛の中でもどのタイプか鑑別するのは難しいことなのです。

すなわち、片頭痛と緊張型頭痛では発生のメカニズムが違うので、薬を含めた効果的な治療法が異なります。つまり、診断が間違ってしまうと、いつまでも慢性頭痛が良くならないことになりかねないので、このような場合は頭痛外来のある医療機関に行くべきだと考えます。

片頭痛と思っていたらクモ膜下出血だったケースも

頭痛の原因として、数は少ないですが、脳梗塞やクモ膜下出血など命に関わる病気が原因で起こる頭痛があります。これは慢性頭痛ではなく、脳や体の一部に頭痛の原因がある二次性頭痛というタイプで、外来で診ることはそこまで多くはありません。ただし、決してゼロではないことに注意が必要です。

筆者が患者さんに常々言っているのは、片頭痛や緊張型頭痛と診断された場合も、「いつもの頭痛と違う」「いつもだったら効くはずの薬が効かない」という時は、躊躇せずに申し出ること。まったく別の二次性頭痛の可能性があるからです。

しかも、命に関わる頭痛も人によっては、軽微な症状で起こることがあります。例えば、「ハンマーで殴られるような激しい頭痛」が特徴であるクモ膜下出血ですが、数は少ないものの、「何かおかしい」と歩いて医療機関を受診するようなケースもあります。当院でも外来にやってきた患者さんからクモ膜下出血が見つかったケースを少なからず経験しています。

実は、開業してまもなく、忘れることができない苦い経験をしました。40歳代の男性が頭痛を訴え外来を受診した時のことです。もともと頭痛はときおりあったけれども、いつもは薬が効いていた。ただ、その時は「薬が効かないんだ」と言って来院をされたのです。当然、歩いて来院されました。頭痛以外は何の症状もありませんでした。

その頭痛は「いつもと違う頭痛」でした。だからこそ検査を行うべきでした。しかし、本人に検査の必要性を説明しても検査を希望されなかったことから、こちらもその意向を受け入れてしまい、強めの内服薬を処方することのみで帰宅をさせてしまいました。

翌日、所轄の警察から1本の電話がありました。患者さんが突然死してしまったというのです。解剖の結果、死因はクモ膜下出血でした。

「あの時、CT 検査をしていたら……」無力な自分が嫌になりました。それ以降、当院では症状があって受診された方には、検査を断る患者さんにも説明をして、可能な限り、初診で来たその日に画像検査をして、危険な頭痛がないかどうかを確認するようにしています。慢性頭痛と同時に命に関わる頭痛の兆候も見逃さずに救い上げることが、頭痛外来の大きな役割となっていることを肝に銘じています。

頭痛外来の先にある専門治療

頭痛外来での最初の一歩は、前述のように、命に関わる頭痛の有無を確認することにほかなりません。このような緊急性を要する危険な頭痛を除外したのちに片頭痛、緊張型頭痛をはじめ、群発頭痛など生活に支障をきたすさまざまな頭痛において、目の前の患者さんがどの頭痛に分類されるのかを見極めていきます。

頭痛外来にやってくる患者さんのほとんどはこうした生命には関わらないけれど生活に大きく影響する一次性頭痛です。そして、この一次性頭痛を治したいと思って、わざわざ受診をしにやってくるわけです。当然、「命に関わる病気は見つかりませんでした。よかったですね」という言葉をかけるだけで満足するはずはありません。むしろ、ここから先が頭痛外来の真の役割といえるでしょう。

当院ではこの先の段階を頭痛外来とは別に、「頭痛専門治療」として、患者さんに対応しています。

頭痛専門治療は慢性頭痛に悩む人が、より生活支障度が高くならないようにするにはどうしたらいいかを事細かに探り、頭痛の専門家が患者さんの病状にあわせてオーダーメイドの治療を考え、実行していくものです。

片頭痛に関していえば、先に述べたような薬（トリプタン製剤）の調整、薬の使用タイミングの細かな指導などが相当します。また、チョコレートやハムなど、ある種の食品に含まれる成分が片頭痛の発作の引き金になることもあり、悪化要因を探った後、該当する食事を控える生活習慣も並行して取り組んでもらいます。

また、片頭痛は心理的ストレスによって悪化することもあり、ストレス要因が強い場合は、治療薬や予防薬だけでは痛みが軽減しないことがあります。このような場合、精神療法の一種である認知行動療法も検討します。

片頭痛から薬物乱用頭痛に移行している場合は、乱用してはいけない薬を休止、あるいは少しずつ減らしながら、安全な薬で痛みをコントロールします。他にも専門的な治療は数多くありますが、詳細は別の章にゆずります。頭痛は誰もが不快に感じるものです。頭痛がひとたび起これば、仕事も意欲を持ってできませんし、せっかくの休日も台無しです。

「頭痛持ちだから、あきらめるしかない」などと思うことはもうやめましょう。頭痛を治すには一人ひとりにあったオーダーメイド治療が効果的なのです。それを行うのが頭痛専門治療です。薬を含めた多くの治療法がある今、苦しんでいる人はぜひ、専門機関を受診してください。頭痛外来の診断のその先にある頭痛専門治療に力を入れている病院やクリニックは、探すときっとあなたの町にもあるはずです。

治療を受けることできっと世界が変わる。必ず暗闇の中に一筋の光が差し、「あきらめないでよかった」と思っていただけるはずです。

COLUMN

片頭痛と脳梗塞

片頭痛の患者さんは、将来脳梗塞になりやすい——。10年ほど前にこのような研究が発表され、注目を集めました。片頭痛が脳の血管の拡張と収縮を繰り返す病態であるからです。「片頭痛の患者さんは生命保険の加入を制限される」と言われていたのもこの頃です（実際に加入できなかったかどうかはわかりません）。

その後の研究で、45歳未満の、前兆を伴う片頭痛の患者さんでは、片頭痛を持たない人に比べ、脳梗塞のリスクが約2倍高いことが明らかになりましたが（前兆のない片頭痛ではリスクは増加しません）、45歳未満で脳梗塞になる人自体が非常に少ない（1万人に1人程度）ため、統計のマジックであり、さほど問題になることはないのではないかと現在は考えられています。

一方、前兆を伴う片頭痛の患者さんが経口避妊薬を使用したり喫煙をしていると、脳梗塞を発症するリスクが高くなります。経口避妊薬の内服で約7倍、喫煙では約9倍に危険度が上がります。そのため経口避妊薬の使用が禁じられているなど、一部の片頭痛の患者さんが薬の服用にあたって注意しなければならないことがいくつかあります。専門の医療機関で治療を受けることが大事なのは、こうした背景もあるのです。

また、片頭痛を持っている若い患者さんの頭部MRI検査をすると、まるで60歳代の脳の如く、脳に白い「白質病変」を認めることがけっこうあります。

これは脳血流の変化に伴い、脳細胞が変性した状態と考えられています。

無症状なので、その時点では病的なものではありませんが、年齢と共に動脈硬化が進行する際、脳梗塞をはじめとする脳血管障害のリスクが上がる可能性はあるかもしれません。

また、片頭痛の患者さんはほかに高血圧や脂質異常症などを同時に持っていることも少なくありません。こうしたいわゆる生活習慣病により脳梗塞が発症するリスクがあることも知っておく必要があります。

第 2 章

頭痛は
なぜ
起きるのか?

一次性頭痛と二次性頭痛

頭痛は、一度でもなったことがある人を含めると「ほぼ、すべての人」にあてはまるのではないでしょうか？　このようなありふれた症状である頭痛。あらためて、なぜ起こるのか、頭痛の原因とは何なのかを解説していきましょう。

頭痛は頭またはその周囲のどこかが、痛みを感じることで発生します。原因としては頭部の血管の拡張、周囲の筋肉の緊張、脳の病気、顔や周囲の神経の病気、目や耳、鼻や歯、顎関節や頸椎などの病気があります。また、心理的ストレスも頭痛を引き起こすことがあります。このような原因の幅広さから、医学の世界では頭痛を大きく、脳の中や体のどこかに器質的な異常を認めない「一次性頭痛」と、器質的な異常を認める「二次性頭痛」とに分けています。

器質的とは頭やその周囲、または身体の一部に画像や血液検査など、ところどころの異常が認められるものを言います。つまり、その病気を治さない限り頭痛は消失しないものが二次性頭痛であり、ほとんどが緊急性の疾患であることがわかります。

本書で中心的に扱う片頭痛は一次性頭痛の代表ですが、頭痛に関していうならば、二次性頭痛についても知っておくことが大事です。二次性頭痛の中にはクモ膜下出血や椎骨動脈解離などのように命に直結する病気や、後述するような可逆性脳血管攣縮症や急性副鼻腔炎による頭痛など適切な処置が必要な病気が潜んでいることがあるからです。たかが頭痛と放っておいてはいけないのはこのためで、頭痛が続いたら一度は頭痛外来などの医療機関にかかったほうがよいと医師が力をこめて言う理由です。

また、第1章でお話ししたように、片頭痛の患者さんであっても、新たに脳の病気は起こることがあり、「いつもの片頭痛がひどくなっただけ」と思って、受診が遅れてしまうことはとても危険です。一次性頭痛の中に二次性頭痛が隠れている可能性は常に念頭におくべきだと言えます。なぜなら、二次性頭痛は生命に関わるからです。

脳神経外科では研修医の頃から、患者さんが頭痛で受診をしてきた場合には、「まずは二次性頭痛ではないことを確認することが最も重要」と、先輩医師に徹底的に教えられます。これは頭痛診療を専門としなくても、頭痛の患者さんを診る機会のある医師であれば誰もが理解しなければならない診療の基本です。

代表的な二次性頭痛と一次性頭痛を以下にまとめておきます。

【代表的な二次性頭痛】

【特に重症度が高い】クモ膜下出血、脳動脈解離、静脈洞血栓症
【そのほか】可逆性脳血管攣縮症、低髄液圧症候群、脳腫瘍、副鼻腔炎による頭痛、慢性硬膜下血腫など

【代表的な一次性頭痛】

片頭痛、緊張型頭痛、三叉神経・自律神経性頭痛（TACs）

なお、私たち医師が特に注意しているのは、「突然の頭痛」です。中でも、「雷鳴頭痛」といって、突発する痛みが起こってから1分未満でその強さがピークに達するような頭痛には特に注意が必要です。クモ膜下出血や脳梗塞をはじめとする多くの二次性頭痛が存在する可能性が高いのです（次ページ参照）。

雷鳴頭痛をきたす疾患

一次性	二次性	
	血管性	非血管性
・一次性咳嗽性頭痛 ・一次性運動時頭痛 ・性行為に伴う一次性頭痛 ・一次性雷鳴頭痛 ・入浴関連頭痛	・脳梗塞 ・脳動脈瘤破裂によるクモ膜下出血 ・脳内出血 ・未破裂嚢状動脈瘤 ・中枢神経系血管炎 ・頸部頸動脈または椎骨動脈の解離 ・脳静脈血栓症 ・可逆性脳血管攣縮症候群（RCVS） ・下垂体卒中	・第３脳室コロイド嚢胞 ・低髄液圧性頭痛 ・急性副鼻腔炎 ・脳斜台部の血腫 など

「SNNOOP10」(二次性頭痛を示唆する症状)

二次性頭痛を見逃さないためにどのようなことに注意すればいいのでしょうか。2019年に米国神経学会誌である『Neurology』に、危険な頭痛を疑う特徴としての15項目が報告されました。それぞれ英語の頭文字をとって「SNNOOP10リスト」と呼ばれています。多少専門的になりますが、ここでご紹介しましょう。

皆さんの頭痛にこの15項目の特徴にあてはまることがあれば、できるだけ早く、医療機関にかかる必要があります。また、ご家族にこのような症状があり、動かすことができない、あるいは意識が消失しているような場合はすぐに救急車を呼びましょう。

◎発熱を含む全身症状

【S】Systemic symptoms including fever

風邪をひいても発熱しますが、それに項部硬直（くびが硬くなる）や意識がぼんやりするなどの症状があらわれた場合は髄膜炎や脳炎が疑われるため、早期に検査を行う必要があります。

◎新生物の既往

【N】Neoplasm in history

がん（悪性腫瘍）に罹患している人の場合、脳転移の可能性を考えます。特に嘔吐やめまい、ふらつきなどを伴う場合は注意が必要で、MRI などの検査を行います。

◎神経脱落症状または機能不全（意識レベルの低下を含む）

【N】Neurologic deficit or dysfunction（including decreased consciousness）

脳・神経の損傷によって発生する症状（神経脱落症状）、具体的には手足の麻痺やしびれ、意識がぼんやりするなどが起こっている場合は、脳卒中など脳の病気による頭痛を考える必要があります。軽い頭痛でも、特に半身の脱力やしびれがある場合には注意が必要です。

◎突然発症した頭痛

【O】Onset of headache is sudden or abrupt

突然頭痛が発症した場合、特に1分以内に痛みの強さがピークに達する頭痛を雷鳴頭痛と言います。これはクモ膜下出血をはじめとする脳血管の病気によって発症することがあり、脳の血管を含めた検査が必要です。

◎高齢（50歳以降）で初発の頭痛

【O】Older age（after 50 years）

50歳以上で特に高血圧や糖尿病などの基礎疾患がある場合には、二次性頭痛を発症しやすい傾向があります。

◎頭痛パターンの変化または最近発症した新しい頭痛

【P】Pattern change or recent onset of headache

頭痛持ちの方の場合で、頭痛パターンが変化した場合、もしくはいつもと違う頭痛が発症した場合には、新たに別の病気が起こっている可能性を考えます。

◎姿勢によって変化する頭痛

【P】Positional headache

頭蓋内圧低下の症状として出ることがあり、脳脊髄液減少症などが疑われます。

◎くしゃみ、咳、または運動により誘発される頭痛

【P】Precipitated by sneezing, coughing, or exercise

キアリ奇形や後頭蓋窩病変（小脳や脳幹の病気）などの病気が原因で発症することがあります。

◎乳頭浮腫

【P】Papilledema

眼球内にある視神経が腫れた状態が乳頭浮腫です。頭蓋内圧亢進によって起こることがあり、視覚障害や嘔吐を伴うことがあります。眼底鏡という機器で眼の中を確認する必要があります。

◎進行性の頭痛、非典型的な症状を伴う頭痛

【P】Progressive headache and atypical presentations

頭痛が徐々に強くなる場合、また片頭痛や緊張型頭痛といった典型的な頭痛の症状とは違う場合、二次性頭痛が疑われます。

◎妊娠中または産褥期

【P】Pregnancy or puerperium

血液凝固能の亢進やホルモンの変化、分娩時の硬膜外麻酔の影響によって二次性頭痛の発症リスクが高くなるとされています。

◎自律神経症状を伴う眼痛

【P】Painful eye with autonomic features

涙が出てきたり、結膜の充血などの自律神経症状を伴う頭痛の場合、一次性頭痛の一種である群発頭痛の可能性もありますが、他に緑内障や角膜障害など眼科の病気で起こることもあり、これらを見分ける必要があります。

◎外傷後に発症した頭痛

【P】Posttraumatic onset of headache

頭部外傷によって意識がぼんやりしているような場合には、脳挫傷や出血が起きていることが疑われます。特に高齢者では受傷後、数週間から数か月後に慢性硬膜下血腫を発症することがあるので、経過観察が重要です。

◎ HIVなどの免疫系病態を有する患者

【P】Pathology of the immune system such as HIV

免疫低下によりウイルスなどの脳への感染が起こりやすく、感染症が発症することで頭痛が起こるケースがあります。

◎鎮痛薬使用過多もしくは薬剤新規使用に伴う頭痛

【P】Painkiller overuse or new drug at onset of headache

痛み止めなどの薬の使いすぎによって、もともとの頭痛が悪化する「薬剤の使用過多による頭痛（薬物乱用頭痛）」も二次性頭痛に分類されます。

頭痛外来では、こうして二次性頭痛を見つける

二次性頭痛が疑われた場合はすぐに脳の画像検査を受けるべきです。長年勤務していた総合病院の脳神経外科で、クモ膜下出血や脳梗塞などの脳卒中、脳血管の解離や脳腫瘍などの患者さんを多く診てきた立場から、二次性頭痛の危険性と共に診断の迅速性というものを筆者は目の当たりにしてきました。

二次性頭痛の原因となる一部の病気は、治療をどれだけ早く開始できたかが、予後を決定します。大げさな話ではなく、診断が30分遅れるだけで治療に行き着かずに命を落とす危険性もあります。一方、致死率の高いクモ膜下出血であっても（出血の部位にもよりますが）、早く診断し、その後の処置ができれば後遺症なく、短期間で日常生活に復帰できることもあります。

脳卒中の約70％を占める脳梗塞も同様で、詰まった血管の血液を溶解させる血栓溶解療法は発症後4.5時間以内に、カテーテルで血栓を回収する血管内治療は可及的速やかに開始する必要があり、治療開始が早ければ早いほど後遺症が残るリスクを抑えられます。「時は脳なり（Time is brain）」と言われています。

筆者がクリニックの理念に「迅速な診断」、つまりは、脳の画像検査が即日できることを必須としているのは、このような理由によるのです。

人の脳は頭皮と頭蓋骨に覆われており、肉眼では見ることができません。二次性頭痛の有無、すなわち頭の中を調べるためには何らかの撮影検査が必要となります。その代表的な画像検査としては、

CT検査とMRI検査があります。また、血液検査や脳脊髄液検査を行うことがあります。

CT検査とMRI検査は共に脳が客観的に見える断層撮影ですが、撮影方法と得られる情報が若干異なります。CT検査は主にX線を使って撮影するので少しだけ医療被曝を生じますが、早期の出血や骨の情報を得ることに適しています。また、撮影時間が1～2分と非常に早く、頭痛発作中でつらい患者さんが、すぐに短時間で検査を終えられるというメリットがあります。

一方で、MRI検査は磁力を用いた撮影であり、放射線被曝はありません。出血や骨折以外のさまざまな異常所見の検出に優れていて、そのためCT検査ではわからなかった細かい異常も見つけることができます。

さらに、脳血管そのものの画像情報が得られるため、血管そのものの異常の発見（椎骨動脈解離や静脈洞血栓症など）や未破裂脳動脈瘤や脳動静脈奇形など予防的な病気の検出ができます。しかし、撮影時間が15～20分と検査時間が長かったり、強い磁場を利用するためペースメーカーを装着している人など金属が体内にあると検査を受けることができません。

脳脊髄液検査は腰の背骨の間に針を通す腰椎穿刺（せんし）を行って脳脊髄液を集め、その性状を調べる検査です。髄液検査を行うと、脳の病気の一つである髄膜炎の原因を詳細に判断することができます。また、髄膜検査はCTでは見つかりにくい、軽症なクモ膜下出血を診断するためにも役立ちます。

実はCTによってクモ膜下出血が見つかる確率は発症から24時間以内では92％と高率ですが、残りの8％に偽陰性が生じます。その後、時間の経過と共にCTでの診断率は下がってしまいます（米国のAmerican Heart Associationのガイドラインによる）。

別の調査では発症後12時間以内では98％と高い診断率だったものが、7日後には50％に、14日後には30％に低下しています。これは画像診断の限界を示しています。

海外の報告ではクモ膜下出血の患者さんのうち約25％（217人中54人）が初診では髄膜炎や片頭痛、脳梗塞、高血圧性頭痛、緊張型頭痛などと誤診されていたという報告があります（ガイドラインより）。これはCT検査ではっきり写らないクモ膜下出血が一定数あることが要因です。

これを補完してくれるのが腰椎穿刺なのです。腰椎穿刺は脳室やクモ膜下腔を循環している髄液を採取する検査です。健康な人の髄液は無色透明、血液が含まれている場合は赤く色づいた髄液となります。このような場合にクモ膜下出血と診断がつくのです。

【CT検査】

CT検査はコンピュータ断層撮影とも呼ばれます。特殊なX線装置と高度なコンピュータ技術を組み合わせた画像診断法で、体の縦横の断面画像を作成します。出血の有無を短時間で調べるのに向いていて、脳出血の検査はこのCTが優れています。頭部外傷にも有用です。ただし、炎症や微小な異常はわかりにくいのでMRIも必要になります。

【MRI検査】

MRI検査の「MRI」とは、磁気共鳴画像（Magnetic Resonance Imaging）の略。X線の代わりに強力な磁力を利用して脳の鮮明な画像を得ることができる検査です。石と電磁波を使って体内の状態を断面像として描写する検査で、特に脳や脊椎、四肢、子宮・卵巣・前立腺といった骨盤内の病変に関して優れた検出能力を持っています。被曝がないので、毎日でも安全に検査できるほどです。

MRIに似た言葉でMRA（Magnetic Resonance Angiographyの略）という言葉がありますが、こちらはMRI検査に含まれる検査の種類の略語で、血管を描写する手法です。

一次性頭痛の代表は片頭痛と緊張型頭痛

続いて一次性頭痛についてです。二次性頭痛が除外されると、一次性頭痛の鑑別を行います。一次性頭痛は「片頭痛」「緊張型頭痛」「三叉神経・自律神経性頭痛（TACs）」「その他の一次性頭痛疾患」

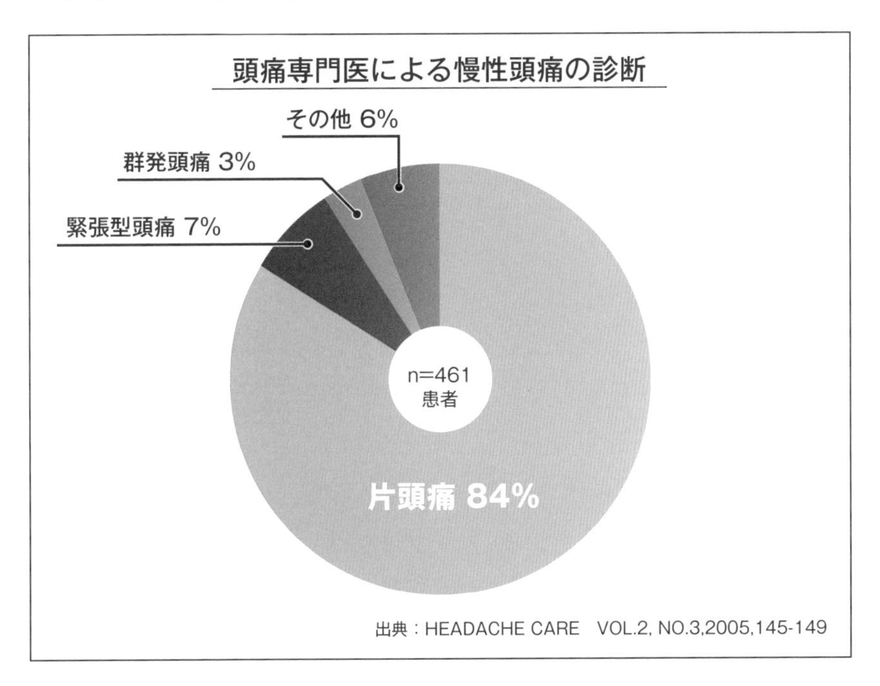

に分類されています。このうち、最も多いのは緊張型頭痛で、24.1%、次が片頭痛で8.4%です。ただし、頭痛外来をはじめとする医療機関を受診する人はその多くが片頭痛で約80%を占めます。これは緊張型頭痛の症状が我慢できる痛みであることが多いのに対し、片頭痛はセルフケアではなかなかコントロールできない、それだけつらい症状だと感じる人が多いことを示しています。

では、代表的な一次性頭痛について紹介していきましょう。

頭痛外来にやってくる患者さんが最も多い「片頭痛」

頭痛以外の症状がとてもつらいのが特徴

片頭痛は15歳以上の8.4%、約840万人いると言われています。男女比は1対4と圧倒的に女性に多く、特に20〜40代に集中しています。一方、男性の片頭痛も少ないわけではなく、こちらは女性よりも若い20〜30代がピークです。また、子どもにも片頭痛があることが知られています。

片頭痛はなぜつらいのでしょうか？　それは頭痛以外にも多様な症状を持ち合わせるという特徴があるからです。

代表的な症状としては、「日常動作で悪化する」「首をふったりすると痛む」「悪心や嘔吐を伴う」「下痢をする」「音や光が嫌になる」「ひどい時は臭いが嫌になる」「イライラする」「むくみやすい」などがあります。

また、天気の悪い日や月経の前後、人混みや緊張が解けた週末、疲労や寝不足、気圧の変化など、体や環境の変化に敏感です。東京で生活をしている人が、まだ台風が沖縄にいる段階で気圧の変化を感じとる、という具合に、察知能力は非常に高いのです。

つまり、片頭痛の患者さんは何らかの原因で脳が過敏になっており、そこが刺激された時に痛みと同時に不快な症状があらわれる病気と考えるといいでしょう。

頭痛がおさまった後も、すっきりしない症状が続く

片頭痛という病名は頭の片側が痛むことに由来します。しかし、実際には40％近くの患者さんに「両側が痛む頭痛」があることが明らかです。つまり、「片側だけ痛む」場合は片頭痛の診断基準を満たしません。痛みはズキンズキン、ドクンドクンとする拍動性のほか、緊張型頭痛のように、ギューッと締め付けられる症状として起こることもあります。これらが緊張型頭痛と誤診されやすい理由でもあるのです。

発作は時間と場所を選ばず、いや、本当は選んでいるのでしょうが、本人は気づきません。突然起こり始めます。頭痛のピーク時には動くことができず、ある調査では片頭痛の患者さんのうち、約30％は寝込むことがあり、70％は日常生活に支障が生じていると報告されています。こうした発作が通常月に1〜2回、多い人では週に1〜2回の頻度で起こります。

発作は数時間から2〜3日続き、日常生活に支障をきたしますが、実際には強い痛みは数時間なことが多く、その後に「何だか頭がすっきりしない症状」つまり余韻症状が持続するパターンです。

なお、発作中は前項のような不快な症状があらわれますが、この

前兆を伴わない片頭痛診断基準

A. **B**-**D** を満たす頭痛発作が **5 回以上**ある

B. 頭痛の持続時間は **4-72 時間**

C. 頭痛は以下の 4 つの特徴の**少なくとも 2 項目を満たす**
1. 片側性
2. 拍動性
3. 中等度〜重度の頭痛
4. 日常的な動作により頭痛が増悪する、あるいは頭痛のために日常的な動作を避ける

D. 頭痛発作中に少なくとも以下の 1 項目を満たす
1. 悪心または嘔吐（あるいはその両方）
2. 光過敏および音過敏

E. ほかに最適な ICHD-3 の診断がない

日本頭痛学会・国際頭痛分類委員会　訳：国際頭痛分類第 3 版，医学書院，2018

うち、すべての人に共通するのが「悪心または嘔吐（あるいはその両方）」または「光過敏および音過敏」で、診断基準では少なくともこれらの症状があることも片頭痛の定義です。

医師側が気を付けるべきことになりますが、これが片頭痛か緊張型頭痛かの鑑別をする上で極めて重要なポイントとなるのです。（出典：清水俊彦著『頭痛外来へようこそ』P.16）

片頭痛は頭痛ばかりを見ていると誤認する

片頭痛は突然起こると言いましたが、実は「頭痛の前に前兆がある」という患者さんが全体の約30％いらっしゃいます。前兆の症状はキラキラした光や閃輝暗点と呼ばれる、ギザギザの光などの、

「視覚性前兆」といわれるものが95％以上、次いで多いのは感覚症状で、顔や体、舌などのチクチク感（感覚症状）です。

キラキラ、ギザギザした囲み（城郭状という）の他にも、光の閃光やミラーボールのようなもの、色の膨張感などいろいろな視覚異常があります。

こうした症状は、5分程度で終わる場合もありますが、20分以上と長いこともあります。ただし、最長でも60分以内には消失するという特徴があります。一般的に多いのは20〜30分程度です。瞬間的なものや長時間続く（60分以上）の場合は別の病気を考えた方がいいかもしれません。

また、前兆の前にはさらに「予兆期」と呼ばれる時期があります。予兆は片頭痛患者さんの90％が感じます。人によりますが、発作の数時間前から1日、あるいは2日前に発生します。

予兆期は首や肩がこるなどの症状が先行しますが、ほぼ同時に「疲労感」や「イライラ」「あくび」「光や音に過敏になる」「むくみ」「悪心、顔面蒼白」などもあらわれます。特にこの時期の首や肩のこりは緊張型頭痛によく似ているので、問診をする上で、医師が注意しなければならないもう一つのポイントでもあるのです。

この「緊張型のような頭痛」を片頭痛の症状ではなく、「緊張型頭痛」と診断してしまうと治療は真逆の方法になってしまいます。結果、痛みが改善しない→鎮痛薬に頼る→慢性化するといった泥沼に陥ることになるのです。なお、予兆の症状がない患者さんであっても、「何となく片頭痛が起こりそう」と感じることが多いです。

少しだけ脳の解剖的な話をしますと、この予兆に関しては脳の深い場所にある視床下部といった自律機能調整を行う中枢のトラブル

頭痛期の前後では緊張型に似る

片頭痛発作は、予兆期・前兆期・頭痛期・回復期と時間と共に経過する。
前兆のない片頭痛でも、「なんとなく頭痛がきそうだ」という
漠然とした予感を感じることがある。

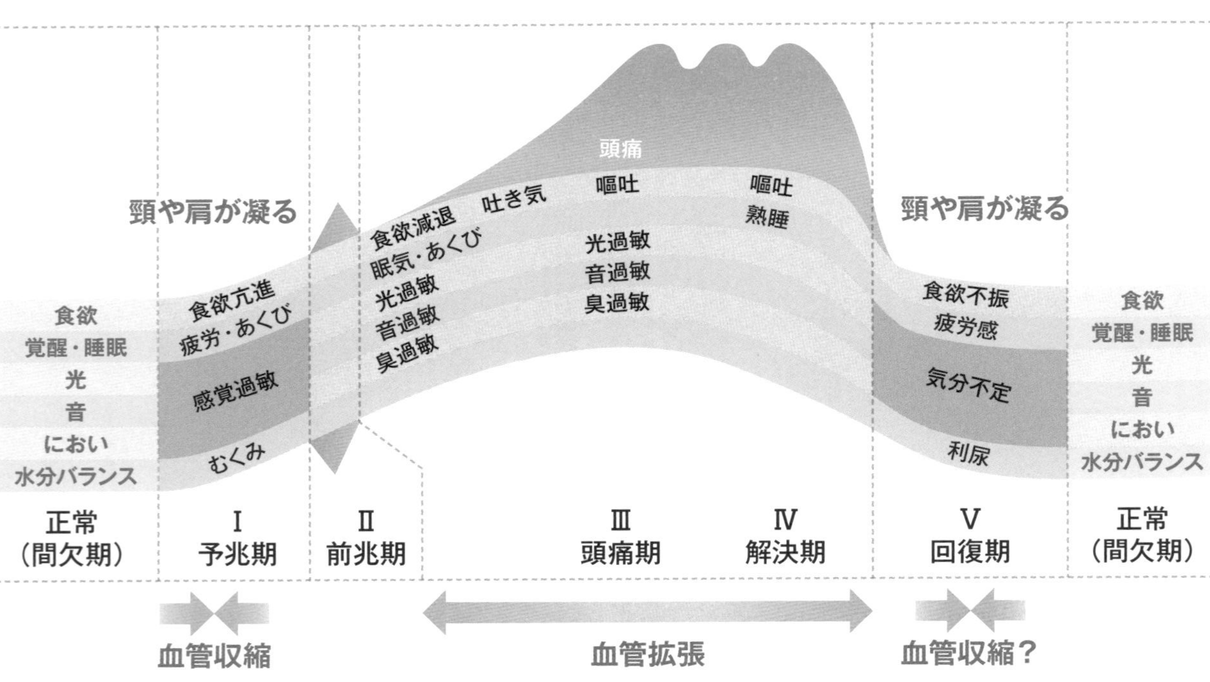

片頭痛の予兆

で発生しているため、自律神経機能の不具合が生じ、さまざまな症状があらわれます。

食欲や日内リズムなどに関与しており、セロトニンを大量に放出させることでセロトニンが枯渇し、頭痛へとつながるのです。こうした片頭痛の経過を知ることが、薬を上手く使用するタイミングにつながり、頭痛のコントロールを良好にします。

片頭痛の原因を知ろう

片頭痛が発生するメカニズムはまだ十分に解明されていませんが、現在最も有力なのは三叉神経が密接に関与していると言われる「三叉神経血管説」です。片頭痛の急性期治療に使うトリプタン製剤や、抗 CGRP 関連製剤などの片頭痛治療薬はこの三叉神経血管説に注目して開発されており、三叉神経終末から放出されるCGRPというタンパク質が頭痛の担い手になっていて、それをターゲットにした治療法が主流になっています。

頭痛の世界で昨今の流行語大賞といえば「CGRP」といっても過言ではないくらい、この痛みタンパク質「CGRP」の解明は画期的なことであり、これにより片頭痛の治療が飛躍的に高まったのです。

片頭痛の患者さんは、ストレスや月経、空腹や天気など何らかの誘発因子によって視床下部が刺激されます。発作の2日前頃より視床下部にトラブルが生じることで、脳の表面の三叉神経へと刺激が伝わり、三叉神経から大量のCGRPが放出されます。CGRPは脳血管にあるCGRP受容体に結合することで、脳血管の拡張が引き起こされ、炎症と痛みが生じます。これは片頭痛による頭痛そのものです。つまり血管に炎症が生じ、また、拡張する痛みが片頭痛の頭痛期に起こる特徴的な症状といえるのです。

あらためて言うと、CGRPが出ていることが頭痛を発生させているのです。例えばCGRPが水道の蛇口から出ていると想像してください。水道の蛇口からCGRPが放出され続けるなら、どうしたらいいでしょうか？　そうです、蛇口を閉めてCGRPの出を止めてしまえばいいのです。

蛇口をひねる仕事は鎮痛薬ではできません。トリプタン製剤（詳細は後述）が行います。鎮痛薬はあくまでも生産された頭痛の上澄みをぬぐうのみです。つまりトリプタン製剤を使用することで、蛇口が閉まりCGRPの出が止まるのです。片頭痛のメカニズムに急ブレーキがかかるのです。

ただし、こうした治療薬には効果がある反面、使うタイミングを間違えると効かないどころか、副作用のほうが強く出てしまうこともあります。そのようなことがないようにするために、ここで解説する片頭痛の原因を患者さんに理解してもらうことが重要だと考えています。当院の頭痛専門治療でも、片頭痛はどのようにして起こるかという原因の説明に時間をかけています。患者さんが片頭痛について理解することが治療の早道なのです。

薬剤の使用過多による頭痛（薬物乱用頭痛MOH）

意外に多いMOH（薬物乱用頭痛）

頭痛持ちで、市販の鎮痛薬が手放せない。でも最近、頭痛の回数が増える、薬が効かなくなってきて困っている……。このようなことが思い当たる場合、薬剤の使用過多による頭痛（Medication-Overuse　Headache、MOH）の可能性があります。

薬剤の使用過多による頭痛は市販の薬を含めた、さまざまな鎮痛薬の使いすぎによって起こる頭痛のことです。かつては、薬物乱用頭痛と呼ばれていましたが、「薬物乱用」という言葉が非合法の薬物の乱用を連想させて、不利益や誤解が生じる恐れがあることから、現在はこの名称となりました。

ただし、読者の方には薬物乱用頭痛が身近であると思われますので、本書ではMOH（薬物乱用頭痛）として話を進めます（以後、MOHと表記します）。まずはMOHの定義を見ていきましょう。

・1か月に15日以上、頭痛がある
・3か月以上前から鎮痛薬を使用している

- 頭痛は薬を多く使用（乱用）するようになり悪化（いままで使っていた薬が効かない）
- エルゴタミン製剤やトリプタン製剤（いずれも片頭痛の急性期治療薬）、複合解熱鎮痛薬（市販薬に多い）を月に10日以上利用
- 上記以外の鎮痛薬を月15日以上使用（3か月以上持続している）

MOHになる患者さんのほとんどは、もともと重い片頭痛または緊張型頭痛がある人たちです。頭痛がつらいので、鎮痛薬を服用する。服用するとつらい痛みが嘘のように治るので、やがて薬は欠かせない存在になります。最初は1週間に1回程度だったものが、痛みがないのに「痛くなりそうだから」と服用。これを繰り返すうちに、かえって頭痛が起こりやすくなります。つまり、頭痛薬で頭痛になってしまうのです。

また、MOHは前述のように薬剤の使用日数によって定義されています。1週間のうち、例えば頭痛が強い日が月曜、水曜、土曜の3日間あり、その時には1日に3回鎮痛薬を内服してしまった場合と、毎日軽い頭痛があって1回だけ鎮痛薬を内服してしまった場合、どちらがMOHに陥りやすいでしょうか？

前者では9錠の鎮痛薬、後者では7錠の鎮痛薬を服用したこととなり、前者の方がMOHになる危険が高いと思われるかもしれません。しかし、実際にはMOHは内服日数に規定されるため、後者の方がMOHのリスクが高いと言えます。つまり少量であっても内服する日数が多いことがMOHにつながるのです。

こうなる理由は鎮痛薬の過剰摂取によって痛みの神経が過敏になるため、といわれています。人間の体には神経や脳の仕組みとして、痛みが発生してもこれを抑制するメカニズムが備わっています。鎮

痛薬を服用しすぎるとこの働きが低下し、痛みに対する閾値(いきち)が下がることがわかっています。

市販薬でも処方薬でも起こる

MOHは鎮痛薬の中でも特に複合解熱鎮痛薬で起こりやすいことがわかっています。ドラッグストアで売られているタイプの多くはこれです。複合解熱鎮痛薬にはさまざまな成分が入っていて、頭痛のタイプを問わずに効くので、急に頭痛が起こった時に一時的に服用するにはとても便利な薬ですが、だらだらと何か月も服用してしまうことがよくないのです。

例えば、「1か月に(市販薬を)2箱くらいは利用する」という場合、MOHになっている可能性が高いでしょう。

一方、医師の処方薬で鎮痛薬とは異なる片頭痛発作抑制のトリプタン製剤であっても、使いすぎるとMOHが起こります。トリプタン製剤の乱用によるMOHは頭痛学会でも問題になったほどです。

このため患者さんがどれだけの鎮痛薬やトリプタン製剤を飲んでいるかを、頭痛外来では毎回把握する必要があります。最も簡便で客観視できるツールは患者さんが記録した頭痛ダイアリー(後述)です。頭痛ダイアリーを見てこれら薬剤の使用頻度が増えてきたら、要注意です。

このような場合は発作の予防薬を使って、頭痛を減らしていく治療をすることが必要となります。頭痛がある限り患者さんは鎮痛薬を使用してしまうからです。これは頭痛診療ガイドラインでも強く推奨されています。

MOHの治療

MOH の治療は、この頭痛がなぜ起こるのか、について正しく理解してもらうことが一番大事なことです。本来、片頭痛だけであった患者さんが MOH という頭痛を持つことにより、分類上二つの異なる頭痛に対して治療していかなければならなくなります。薬が頭痛を悪化させていることを知ってもらった上で、患者さんの納得のもと、現在服用している鎮痛薬をストップしたり、服用量を減らしていったりします。

鎮痛薬をやめても、離脱症状（薬が身体から急になくなることで起きる症状）は基本的に起こりません。しばらくすると、もともとあった頭痛の姿（片頭痛なのか緊張型頭痛なのか）があらわれます。それが明確になったところで、頭痛のタイプに合わせた治療を行うと、症状が改善していくのです。

パソコンやスマホの影響で起こる「緊張型頭痛」

重い緊張型頭痛はQOL（生活の質）を低下させる

パソコンやスマホの使用、ストレス社会と関わりが最も深い頭痛が緊張型頭痛です。一次性頭痛の中で最も多い頭痛として知られています。おおまかな特徴としては、左右両側の圧迫感や締め付け感が夕方や週末にかけて増悪しやすく、肩や首のこり、目の痛み、ふわふわとした浮遊性のめまいや疲労感を伴うのが特徴です。はちま

緊張型頭痛の診断基準

■ **分類**

「稀発反復性」(3か月を超えて平均1か月に1日未満、年間12日未満)

「頻発反復性」(平均1か月に1日以上、15日未満、年間12日以上180日未満)

「慢性」(1か月に15日以上、年間180日以上)

■ **頭痛は30分~7日間持続する。**

■ **頭痛は以下の特徴の少なくとも2項目を満たす。**

1. 両側性
2. 性状は圧迫感または締め付け感(非拍動性)
3. 強さは軽度~中等度
4. 歩行や階段の昇降のような日常的な動作により、増悪しない

■ **以下の両方を満たす。**

「稀発反復性」と「頻発反復性」

1. 悪心や嘔吐はない
2. 光過敏や音過敏はあってもどちらか一方のみ

「慢性」

1. 光過敏や音過敏はあってもどちらか一方のみ
2. 中等度の悪心や嘔吐はどちらもない(あっても軽度)

き状の頭痛とも言われます。

入浴などで首回りを温めたり、少量のアルコールによってリラックスすることで改善する点も緊張型頭痛ならではで、これは温めたり飲酒で悪くなる片頭痛とは正反対です。

日本では15歳以上の年間有病率(ある一時点において、疾病を

有している人の割合）が22.4％という報告がありますが、調査により大きな差があり、実態は明らかではありません。というのも、緊張型頭痛はつらいのですが、片頭痛のように日常生活に支障が出ることは少なく、このため、医療機関を受診する人が少ないことも一つの理由です。

一方、頭痛外来にやってくる患者さんの中には、ひどい頭重感やめまいで仕事が手に付かず、困っていらっしゃる人もいます。言い方を換えれば、緊張型頭痛で医療機関を受診する人は、慢性化していることが多く相当に重いのです。医師は当然、そのつらさを十分に理解した上で診察することが求められます。

緊張型頭痛の原因

緊張型頭痛は発作の頻度によって、「反復性」と「慢性」の二つに大きく分類されています。「反復性」の緊張型頭痛は、1か月に出る頭痛の日数により、「稀発反復性」「頻発反復性」とに分かれます。1か月に15日を超える頭痛が出現する場合を「慢性」としています。

反復性の緊張型頭痛が末梢性の要素、いわゆる肩こりや首こりに起因していることが多いのに対し、慢性の緊張型頭痛では脳の中すなわち中枢性の関与が知られています。言い換えると慢性の場合は肩や首の筋肉をほぐして筋緊張を除くだけでは頭痛は改善しないのです。

なお、緊張型頭痛のうち、症状が重いのは「頻発反復性」と「慢性」です。大きな原因としては、よく言われるように、頭部や肩の筋肉の緊張がまずあります。

頻発反復性の患者さんを調べた調査では、患者さんの頭や顔の筋肉、胸鎖乳突筋（後頭部と鎖骨をつなぐ位置にある筋肉）、僧帽筋（肩から背中にかけての筋肉）を押した時に痛むという特徴と共に、筋肉が緊張で硬くなっていることがわかっています。これはわかりやすく言えば、「筋肉のこり」の状態です。

こうしたことが起こるきっかけとして長時間のパソコンやスマホ、姿勢の悪さや異常、目の疲れ、枕の高さ、精神的ストレスが指摘されています。

筋肉がこると痛みに関連する神経伝達物質が発生し、そこからプロスタグランジンE2を代表とする、各種の痛み物質が誘発されやすくなります。この刺激が繰り返し引き起こされることで筋肉にある痛みの受容器が興奮し、痛みに対する閾値が下がることで、頭痛が発生すると考えられています。

また、この状態がさらに持続すると脳内にある「下行性疼痛抑制系」という、痛みを抑制する経路が働きにくくなり、がんこな緊張型頭痛になると考えられています。

緊張型頭痛の治療

つらい緊張型頭痛については、我慢せずに専門機関で治療を受けるといいでしょう。市販の鎮痛薬を使いすぎると、MOHを引き起こし、かえって頭痛が悪化する危険があります。「頭痛の原因が脳にあるのではないか？」と心配することが、かえって頭痛を招いています。脳の異常がないことを検査で確認し、緊張型頭痛の原因となっている患者さんの生活背景を是正することが必要となります。また頭痛体操などを取り入れることも大変効果的と言えます。

慢性緊張型頭痛の患者さんは、ストレスやうつ病を合併している人が多く、頭よりも心が痛い場合が多いのです。中枢疼痛メカニズムが関与しており、このような慢性的な重い緊張型頭痛の場合、鎮痛薬だけでは効き目が不十分です。抗不安薬や抗うつ薬などの予防治療と共に、リラクゼーション療法や認知行動療法など薬を使わない非薬物療法を組み合わせるのが一般的です。

●急性期治療

【薬物療法】

鎮痛薬のアセトアミノフェンと非ステロイド消炎鎮痛薬（NSAIDs）が効果的です。痛みのある時にこれらを頓服として服用します。なお、片頭痛治療薬のトリプタン製剤は使いません（効果がありません）。

●予防療法

【薬物療法】

抗うつ薬の三環系抗うつ薬のアミトリプチリン（商品名：トリプタノール）が有効です。適応外処方といって、抗うつ薬でありながら、緊張型頭痛への処方が認められています。この薬で効果が得られない場合は他の抗うつ薬を検討します。また、抗不安薬であるエチゾラム（商品名：デパス）も有効であり、緊張型頭痛での保険適応薬剤でもあります。

【非薬物療法】

「(筋電図）バイオフィードバック法」（普段意識していない自分の体の筋緊張状態や血圧、脈拍、呼吸、脳波などを画面で確認しながらコントロールできるようにするトレーニング法)、「認知行動療法」、「リラクセーション法」の有効性が明らかです。

いずれも精神療法・行動療法と呼ばれるものの一種で、特に、「バイオフィードバック法」と「リラクセーション法」の併用は効果があります。

筋肉の緊張に対して電気刺激をしたり、姿勢の矯正や温冷湿布などは、その有効性がはっきりしません。ただし、緊張型頭痛は心理的ストレスも深く関わっているため、セルフケアとして適度な運動や入浴、そのほか、リラックスできる趣味などに取り組むことは症状の改善には良いと患者さんを診ていて、実感しています。

涙や鼻水を伴う激烈な頭痛、三叉神経・自律神経性頭痛（TACs）

「群発頭痛」が代表だが、他のタイプもある

目の奥や目の周りの強烈な痛みと共に、涙や鼻水がずるずると出てくる……。強靭な大人が痛みでのたうち回るほどつらい頭痛です。患者さんは痛くて目の周りをガンガンと自分で叩きつけることもあるほどです。

三叉神経・自律神経性頭痛（TACs：タックス Trigeminal autonomic cephalalgias）では昔からよく知られている「群発頭痛」が有名ですが、他にもさまざまなタイプがあることがわかってきました。

筆者が学生の頃、この群発頭痛は「7つの1がつく頭痛と覚えなさい」と教わりました。「1年に1か月間ほど、日に1回だけ夜中1時に1時間程度、1側（片側）の目の奥が痛む1番つらい頭痛」です。

厳密には「7つの1」ではなく、たくさんのバリエーションがあります。発作時間も3時間以内でさまざま、片側だけでなく、左右が交互に痛む「左右交代性」の患者さんも15％程度認められます。

夜中に起きやすい傾向ですが、朝方であったり日中、勤務中であったりとさまざまです。「強靭な大人」と書いたのは、実際に群発頭痛の患者さんは平均身長よりも高い高身長の人に多い傾向にあります。

「一次性頭痛の中で1番痛い」と言われますが、筆者は群発頭痛の経験がないため断言は控えます。ただ、発作中の患者さんを見ていると恐ろしいくらい痛がっています。性別では圧倒的に男性に多い頭痛ですが、最近は女性の群発頭痛の患者さんも増えており、女性の方が重症化しやすい傾向にもあります。

激しい症状の原因としては脳の視床下部の活性化や三叉神経・自律神経反射の活性化、内頸動脈（脳へつながる首の太い血管）の拡張など、さまざまなものが指摘されているものの、不明な点がまだ多い頭痛です。また、クモ膜下出血や緑内障発作など、病気が原因の二次性頭痛の症状に似ている場合があるので、要注意です。

「TACs」とは？

1 目の奥や目の周りが強烈に痛む**「顔面痛」**

2 涙や鼻水などの**「自律神経症状」**
（目の結膜の充血、まぶたが腫れる・下がる、瞳孔が縮む、おでこや顔から汗が出る、などが起こることも）。

3 1と2が同時に起こる。

TACsの代表的な四つの頭痛

①群発頭痛（CH）

有病率は10万人あたり56〜401人で、TACsの中でも圧倒的に多い頭痛。一次性頭痛では緊張型頭痛、片頭痛に続いて患者数が多い。目の周囲から前頭部、側頭部にかけての激烈な頭痛が2日に1回～1日に8回起こり、数週間～数か月の間、発作が続く（群発する）。夜間や睡眠中に頭痛発作が起こりやすいのが特徴。5～6.7対1で男性に多いと報告されているが、最近は女性にも増えている（治療については64ページ）。発作時間は15分～3時間である。

②発作性片側頭痛（PH）

群発頭痛のような激しい痛みが左右の片側だけに起こり、2～30分間持続する。発作の頻度は1日5回を超えるが、非ステロイド性消炎鎮痛薬のインドメタシンが著効（症状が消失）。日本ではインドメタシンの内服薬は販売されていないため、代替薬としてインドメタシンファルネシル（商品名：インフリー）などを使う。

③短時間持続性片側神経痛様頭痛発作（SUNHA、サンハ）

結膜充血と涙をともなう「SUNCT」と、どちらかの症状を有する「SUNA」に分類される。重度の痛みと自律神経症状が左右のどちらかに1日1回以上起こる。刺すような痛みが特徴。三叉神経痛と似ているが、自律神経症状がある点が異なる。

局所麻酔薬のリドカインや抗てんかん薬のラモトリギンが有効。薬で十分な効果が得られない場合は三叉神経に接触している血管を切り離す「微小血管減圧術（手術）」や「ニューロモジュレーション」という、三叉神経に対して電気刺激を行い症状の改善をはかる治療が検討される。発作時間は、数秒～数分である。

④持続性片側頭痛（HC）

左右の片側に激しい痛みが起こり、3か月以上持続する。興奮したり、動いたりすると痛みが悪化するのが特徴。痛む側に目の充血や流涙、鼻づまり・鼻水、眼瞼のむくみ、発汗、眼瞼下垂などの自律神経症状が起こる。発作性片側頭痛（PH）と同じく、インドメタシンの内服薬で寛解する。

KARTE 1

群発頭痛の治療

TACsの中で最も有名な頭痛が群発頭痛です。まずは、実際の患者さんのケースを紹介しましょう。

Kさん（52歳男性）は数年ほど前から、毎年春になると決まって左目の奥に激痛が起きる症状に悩まされていました。近くのクリニックで鎮痛薬を処方されていましたが、痛みが治まらないため、当院の頭痛外来にやってきました。

患者さん「先生、もう痛くて限界です。夜中に激痛が来るので眠れません」
金中「どこが痛むのですか？」
患者さん「いつも同じ左目の奥です。えぐられるように鋭い痛みです。涙もすごく出ます。痛みが出ると顔を自分でたたいています」
金中「痛みが出る時間は何時頃ですか？」
患者さん「寝ている時、3時から4時くらい。いつも決まってます」
金中「痛みはどのくらい続いたのですか？」
患者さん「以前の病院でもらった薬を飲むと、1時間くらいで徐々に治る。でも薬を飲まないと、2時間は痛いですね」
金中「4時間も5時間も続くことはないですか？」
患者さん「そこまで我慢したことないですが、多分2時間くらい、長くても3時間までは続かないんじゃないかな」

群発頭痛に対しては、一般的な鎮痛薬ではなかなか痛みが治まりません。このため、ガイドラインでは強い痛みを抑える作用のあるトリプタン製剤の中でも、短時間で作用するトリプタン製剤の点鼻薬（イミグラン点鼻）や、皮下注射（イミグラン皮下注）が推奨されています。トリプタン製剤は片頭痛の治療薬として研究・開発されたものですが、群発頭痛についても効果が認められているのです。

Kさんにお話をしたところ、まずは点鼻薬を試したいということでした。痛みが出たらすぐに鼻の粘膜に薬を噴霧する方法で使います。Kさんは早速、使用を開始。これまでは夜中に起きると痛みが治まるまで、何時間も部屋の中をぐるぐると歩き回っていましたが、点鼻薬で痛みがすぐに治まるようになったので、そのようなこともなくなりました。日中、眠くなることがなくなり、仕事にも支障がなくなったと喜んでくれました。

なお、群発頭痛はアルコールによって起こりやすくなり、大酒飲みの人に多いことも知られています。また、因果関係はわからないものの、ヘビースモーカーに多いことも知られています。Kさんはお酒の量を控えるなど、生活習慣にも気を配ってくれています。

薬で良くならない場合は酸素療法が効果的

群発頭痛がトリプタン製剤で良くならない場合は、在宅で行う酸素療法があります。発作が起こったらフェイスマスクを付け、酸素を毎分7Lの量で15分間吸入します。市販で売っている酸素缶では無効です。この治療は一酸化窒素の排泄を促してくれるため有効率

COLUMN

頭痛体操は片頭痛にも緊張型頭痛にも効く

健康番組などでも紹介されることの多い頭痛体操。本当に効果があるの？　と疑問に思っている人も多いのではないでしょうか。あらためてお答えすると、緊張型頭痛にも、片頭痛にも効果があります。緊張型頭痛は筋肉の緊張が引き金になるため、頭痛体操のストレッチ効果で血行が良くなることで、症状が緩和します。

片頭痛では発作回数が増えると、痛みの回路が首の後ろにまでつながり、首の奥にしこり（圧痛点）ができることがわかっています。頭痛体操で首周りの筋肉をほぐすことがしこりを予防し、片頭痛の予防につながると考えられています。

頭痛体操にはさまざまなものがありますが、好みのものに取り組んでいただければいいでしょう。なお、日本頭痛学会では、頭痛体操の方法がパンフレットの形で紹介されています。

が約80％と高く、日本では2018年から保険診療の対象となっています。

なお、酸素療法で使う装置は酸素の販売業者から直接、患者さんの自宅へ搬入してくれます。以前は酸素ボンベが使われていたため、酸素がなくなるとボンベを交換してもらう必要がありましたが、現在の装置は空気中の酸素を濃縮することができるので、ボンベの交換は不要です。

なぜ二次性頭痛を知っておくことが大事なのか

頭痛には片頭痛や緊張型頭痛に代表される一次性頭痛と、器質的な原因によって起こる二次性頭痛があることをお話ししてきました。片頭痛の治療においても、まずは二次性頭痛がないことを確認することが重要であり、とくにクモ膜下出血によるものなど、命に関わる頭痛を見逃すことがあってはなりません。

頭痛外来では、初診の患者さんが来た時、これまでの頭痛歴を詳しく聞いた上で、二次性頭痛が疑われる症状について、その有無を診察していきます。患者さんには、「いろいろ聞かれて面倒だな」と思われるかもしれませんが、これはとても大事なことだとあらためてご理解いただきたいと思います。

ここからは、読者の方にも知っておいてほしい代表的な二次性頭痛について、患者さんの具体的なケースを紹介しながら解説していきます。

KARTE 2

少量の出血では、わかりにくい…クモ膜下出血

ヘビースモーカーのＡさん（47歳男性）は、突然起こった後頭部の痛みに悩まされていました。ドラッグストアで買った鎮痛薬を飲んでも効果がなく、1週間後、頭痛外来にやってきました。

患者さん「左の側頭部から後頭部にかけて痛みが起こったのですが、1時間くらいで治ったので様子を見ていました。一週間たって、今朝、また痛みが出てきて……。シャワーを浴びたら少し落ち着いてきたので会社に出勤したのですが、良くならないので診てもらおうと思って」
金中「1週間前は突然痛くなったのですか？　それとも気づいたら痛かったのですか？」
患者さん「テレビを見ていたら急に痛くなりました」
金中「その時、気持ち悪くなりましたか？」
患者さん「少し気持ち悪かったですが、横になっていたら治りました」
金中「そうですか。今日の頭痛も一週間前と同じ痛みですか？」
患者さん「今日の方が痛みは少し強く、そして痛みが消えません。鎮痛薬を飲みましたが、すぐにまた痛くなります。痛みが消えないので心配で、仕事を早退して受診しました」
金中「首の後ろに痛みはないですか？　手足の動かしにくさや、しびれはありますか？」
患者さん「首の後ろは少し痛いです。手足は何ともないです。大丈夫です」

金中「血圧は、上は128で下が74。高くはないですね。念のため頭の画像検査をしましょう」

Aさん（クモ膜下出血）

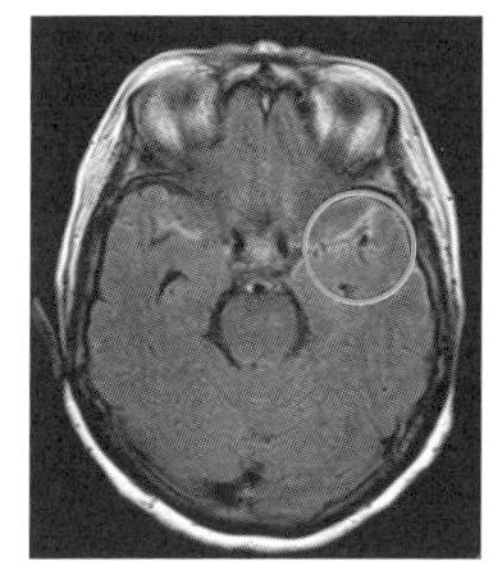

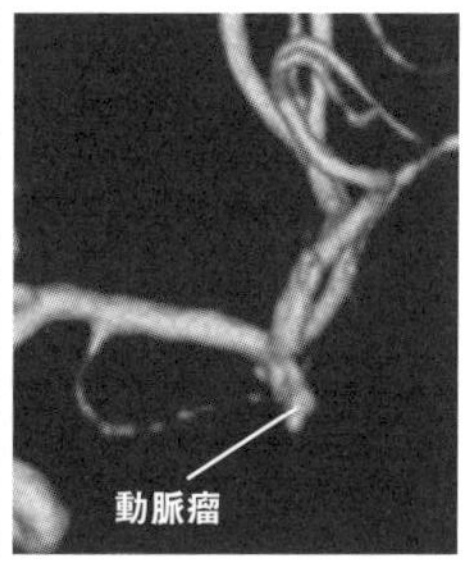

中大脳動脈瘤が破裂してクモ膜下出血を発症した。
左図：向かって右側に認める溝に沿った白い部分が出血（○印）。
右図：向かって右側に、血管から下方に突出した脳動脈瘤を認める。

MRI検査を行った結果、この患者さんはクモ膜下出血を発症していることがわかりました。

脳は外側から硬膜・クモ膜・軟膜と呼ばれる三つの膜で重なるように包まれており、クモ膜下出血はこのうちのクモ膜と軟膜の隙間の「クモ膜下腔」に出血が起こる病気です。

主な原因は脳動脈瘤（90ページのコラム参照）という、動脈の一部の壁が薄くなり、薄くなったところがコブのように膨らんだ状態です。これが破裂して出血したのです。出血量が多い場合は脳が圧迫されて意識を失うことが多く、一時的に血圧が上昇した時などに破裂することで発症します。40歳以降の女性に多く、一親等の家族にこの病気になった人がいる人の脳動脈瘤保有率は４％という報告があります。

82％くらいの方は後頭部を突然、「ガーン」とバットで殴られるような頭痛から始まり、倒れて救急車で運ばれます。

一方、残り8%の人は出血の量が少なく、Aさんのような、「我慢できる程度の頭痛」です。しかし、これは本格的なクモ膜下出血の前触れであり、「警告頭痛」という、放置しておくと危険な頭痛です。

一度、破裂した血管はもろい状態になっているので、一時的に出血部位がふさがれていても、約4割の人が1週間以内に2度目の出血を起こします。再度の出血は大出血となることが多く、今度は意識を失うような命の危険が高いものとなるのです。意識を失うようなクモ膜下出血では病院へ行く前に亡くなる方が16%、その後の致死率も含めると全体では約40%が死亡する怖い病気です。

幸いAさんは2度目の出血が起こる前に来院してくれたので、命を救うことができました。画像検査でクモ膜下出血があるとわかったので、救急車を呼び、手術のできる専門病院に搬送したのです。

Aさんは搬送先の病院で緊急開頭手術を受け、破裂していた脳動脈瘤の根っこの部分（頸部といいます）をチタン製のクリップで挟み込んで脳動脈瘤への血流を遮断する「クリッピング」という処置を受けました。

また、無事、一命をとりとめても重い後遺症が残ることも多いクモ膜下出血ですが、Aさんは幸い大きな神経後遺症を残さず、無事、仕事に復帰することができました。

KARTE 3

排便時のいきみが引き金に…可逆性脳血管攣縮症（RCVS）

会社員のBさん（28歳女性）は、10代の頃から頭痛があります。数年前、近くのクリニックで片頭痛の診断を受けました。発作が月に1回程度あるため、痛みを片頭痛治療薬のトリプタン製剤（詳しくは98ページ）を処方してもらっていました。

そんなＢさんがある日、母親と口論になります。よくある喧嘩ですが、その時に額に激しい痛みを感じました。あわてて片頭痛の治療薬を飲みましたが効果がなく、１週間後、頭痛外来を受診することにしました。

患者さん「3日前に母と喧嘩（言い合い）になり、その瞬間、頭に激痛が起きました。いつもの片頭痛かな？　と思い、処方されていたトリプタン製剤（リザトリプタン、マクサルト）を内服しましたが、一向に改善しません。今朝はトイレに行った時も同じような激しい頭痛を感じ、怖くなって受診しました」
金中「そうした頭痛は初めてでしたか？」
患者さん「はい。ここまで痛いのは初めてです」
金中「頭のどのあたりが痛みましたか？　後頭部？」
患者さん「一番痛かったのは前の方、額のあたりです。でも、最初は頭全体が痛くて、よくわかりませんでした」
金中「痛みはどのくらい続きましたか？」
患者さん「瞬間的に激痛になり、徐々に弱まってきました。１時間くらいは何となく痛みはありました」
金中「今朝もトイレで痛くなったのですね？」
患者さん「はい。もともと便秘症で、トイレで力んだ時に、激痛が走りました」

Bさん（RCVS）

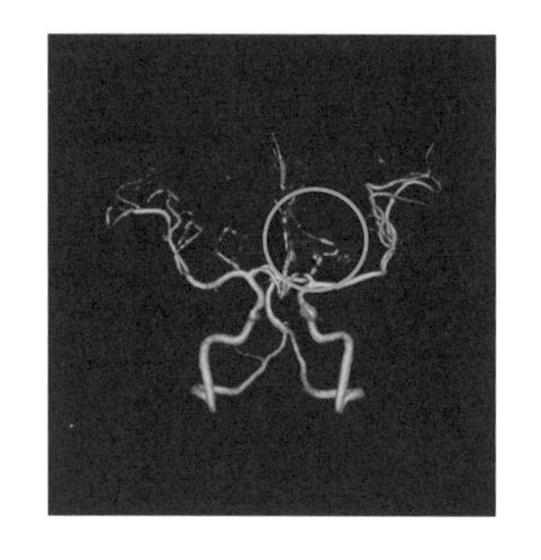

脳血管がボコボコと波打つ所見（○印）を認める。血管攣縮であり、これにより痛みを生じる。

診断の結果、Bさんの頭痛は片頭痛ではなく、可逆性脳血管攣縮症（RCVS）によるものでした。これは脳の神経伝達物質であるカテコラミン（ドーパミン、ノルアドレナリン、アドレナリンの三つを指す）の分泌をきっかけに、血管が縮み（攣縮）、頭痛が引き起こされるものです。

カテコラミンは咳や排便、運動、寒冷、入浴あるいは性行為などの動作で分泌されやすいことがわかっています。Bさんの場合、トイレの「排便時」に痛くなったと言っていました。また、最初の頭痛発作はお母さんとの喧嘩の時に起こっていますが、激しい怒りの感情が起こった時もカテコラミンが出やすいことがわかっています。

Bさんのように、もともと片頭痛のある人は、「いつもの頭痛（片頭痛）」と思い込みがちですが、片頭痛治療薬であるトリプタン製剤ではまったく効果がありません。実はトリプタン製剤は血管を縮める働きがあるので、服用するとさらに血管の攣縮がひどくなり、頭痛が悪化することも多いのです。

また、可逆性脳血管攣縮症は発症直後にCTやMRIを撮っても、異常があらわれないことがほとんどです。血管の収縮が画像にはっきりあらわれるのは発症から2週間ほどたってから。これは最初の攣縮が画像には写らない微細な血管で発生し、これが徐々に太い血管に広がるためと考えられています。

可逆性脳血管攣縮症の「可逆性」は元に戻るという意味で、発症から2〜3か月たつと収縮した血管が徐々に元に戻ります。ただし、約10%（10人に1人）がその後、脳梗塞やクモ膜下出血を発症することがわかっています。

このため初診時、患者さんへの問診から可逆性脳血管攣縮症が疑われた場合、その日に画像で異常が認められなくても、必ず2週間後にもう一度来院してもらっています。

なお、画像でRCVSが認められ、病気が確定したら、血管が元に戻るまで経過観察をします。頭痛には非ステロイド抗炎症薬(NSAIDs）の一種、インドメタシン（日本ではインドメタシンファルネシル）が効くので安心してください。何度も繰り返す場合には予防薬として、高血圧の薬にも使われているカルシウム拮抗剤(商品名：ベラパミル）などを処方します。

KARTE 4

マッサージが引き金?…椎骨動脈解離

会社員のＣさん（32歳女性）は片頭痛があり、時々発作が起こります。3日ほど前、マッサージを受けた翌日から右後頭部の痛みがひどくなりました。最初は片頭痛かと思いましたが、いつもとは様子が違うと感じ始め、心配になって頭痛外来を受診しました。

患者さん「肩こりが強いのでマッサージに行ったら、ますます痛くなってしまい受診をしました」

金中「いつから痛みますか？」

患者さん「昨日からです。マッサージに一昨日行きました。マッサージの後は気持ちよかったのですが、翌日の朝起きたら痛みが強くて、つらくなりました」

金中「今はどのあたりが痛みますか？」

患者さん「右側の後頭部から首にかけてですね」

金中「ズキンズキンする痛みですか？　それとも重たく締め付けられるような痛み？　あるいは電気が走るようなズキっとする痛みですか？」

患者さん「持続的にズキズキします。頭の中の方でずっと痛みが消えません。片頭痛の薬が効くのではないかと思って、トリプタン製剤を内服したのですが全く効果がありませんでした」

Cさん（椎骨動脈解離）

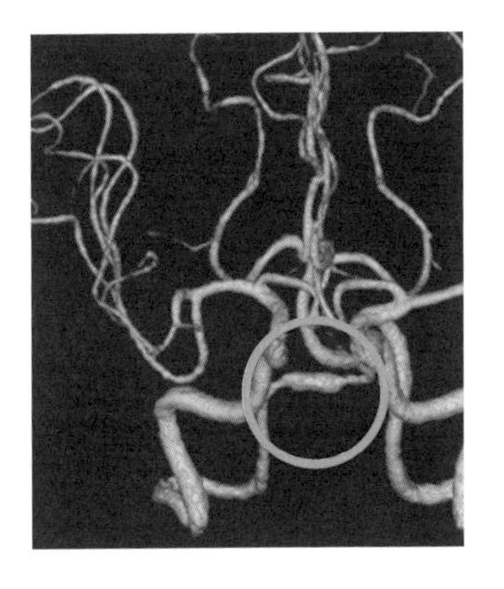

椎骨動脈に血管解離を認める（〇印）。pearl and string signと言われる。血管内膜が中膜との間で剥がれ、偽腔を形成し血液が流れ込む。

診断の結果、Ｃさんの頭痛は椎骨動脈解離によるものでした。血管は内側（血液が触れる側）から内膜、中膜、外膜の三層構造で、３枚の膜が隙間なくくっついてシート状になっています。

血管解離（動脈解離）の発生メカニズムについてはいくつかの説がありますが、一般的に知られているのは「一番内側の内膜に傷がつき、そこに血液が入り込んで内膜と中膜の間を血液が剥がしていく、血管が裂けていく状態」と言われています。

椎骨動脈解離はこれが椎骨動脈に起こったものです。椎骨動脈は首の付近から左右に枝分かれして脳につながっていますが、手でも触れるような表面に近いところにあるので、マッサージやカイロプラクティック、ヘッドスパや体操などで首を激しく動かしたりすることで裂けることがあります。また、頸椎という首の骨の中を走行しているため、首の過度な動きにより血管に外的ストレスが加わり、裂けてしまうとも言われています。

Ｃさんの場合、マッサージの何らかの刺激で起こったと考えられました。椎骨動脈解離では血管の裂け目に血液が入り込み、膨らむことで周囲の神経を刺激する際、激しい頭痛が起こるのが特徴です。裂けた場所が悪かったり、大きく裂けてしまうと血の固まり（血栓）が血管を詰まらせ、脳梗塞を起こしたり、血管が外側（外膜）まで裂けて血液が外に漏れ出ると、クモ膜下出血で命に危険がおよぶこともありますが、わずかに裂けた場合は頭痛の症状だけにとどまります。頭痛の症状だけは1か月以内には改善されていきます。

安静にしていれば2〜3か月程度で解離した部分は自然に修復され、手術も必要ありません。言い方を換えれば、この期間は血管の形状変化を認めることがあるため（その場合、脳梗塞やクモ膜下出血へと悪化してしまうことがあるので）慎重にフォローアップが必要となります。

Cさんは幸い頭痛以外の症状がなく、解離血管も治癒して元気に回復されたケースでした。とはいえ、今回は不幸中の幸いと言えることであり、いつもの頭痛と思い込み、普段通りの生活をしていたら、数日後に血管が再び裂け、今度は命を落としていたかもしれません。この段階で頭痛外来を受診したのは賢明なことでした。

KARTE 5

激しい耳鳴りと共に起こる頭痛…低髄液圧症候群（低髄液圧性頭痛）

主婦のDさん（40歳女性）は1か月前からこめかみのあたりを中心に頭重感と圧迫感を感じるようになりました。症状は夕方から夜にかけて強くなります。それは肩や首のこりがひどくなる時間に一致していました。朝起きて家事をすることが徐々につらくなったDさんは、思い切って頭痛外来を受診することにしました。

患者さん「1か月前から毎日こめかみのあたりが痛くて。痛みは頭がゴーッと音がするのと同時で、起きていられなくなります」

金中「きっかけはありましたか？」

患者さん「もともと肩がこりやすくて、ストレッチやマッサージによく行きます。以前からも時々頭痛はありましたが、内科では緊張型頭痛と言われてきました。でも、いつもの頭痛とは違うような……。特別、思い当たることはないですし……。先生、すみません、痛みが強くなってきたので横になっていいですか？」

金中「はい。横になりましょう。（横になって）どうですか？　痛みの方は？」

患者さん「横になって楽になりました。耳も閉塞感があります」

金中「眩しさとかはありますか？」

患者さん「眩しくはありません。耳が変なだけです」

Dさん（低髄液圧症候群）

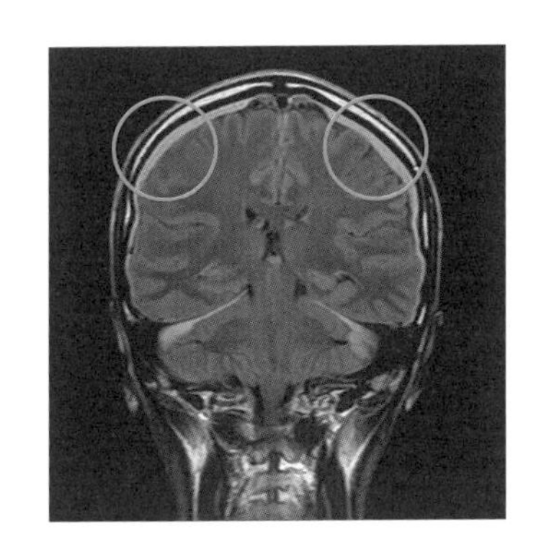

髄液が漏れることで頭蓋内の圧が低下。そのため脳が重力により下方へ引っ張られる。その結果、頭蓋骨と脳の間にスペースが形成され血腫ができる（○印）。

寝ていると頭痛が解消され、座ったり立ったりすると頭痛が誘発されます。診断の結果、Dさんの頭痛は低髄液圧症候群によるものとわかりました。

脳や脊髄は無色透明の「脳脊髄液」の中に浮かんでいます。脳脊髄液は頭蓋内に150ml存在しており、この髄液が何らかの理由で脳と頭蓋骨の間にある「硬膜」より外側に漏れ出し、頭の中の髄液の量が減ることで脳が重力方向、つまり足側へ引っ張られます。

硬膜は脳と脊髄を守る硬い皮のような組織ですが、転んだだけでも傷つきやすい性質を持っています。このため、発症のきっかけは外傷やストレッチ、咳などさまざまな原因が指摘されています。お産の時の無痛分娩などで腰椎麻酔のため硬膜外に麻酔薬を注射したり、検査目的で髄液を採取した場合にも起こります。

一方で、Dさんのように、「全く身に覚えがない」という人も少なくありません。

脳の位置が下がったことで脳の神経が刺激され、頭痛が起こるほか、吐き気やめまい、耳鳴り、聴力低下、倦怠感などが起こるのがこの病気の特徴です。

耳鳴りは激しい音が特徴で、患者さんは「ゴーッ」「ガーッ」などと表現します。「脳が下の方に沈むような音」と表現する患者さんもいます。「眩しさ」の症状を訴える人もいます。一方、症状は横になると軽減するのが特徴です。これは脳脊髄液が横になることで元の位置に戻って来るためです。また、水を飲むと良くなりますが、これも水分補給により、脳脊髄液が作られるためです。

低髄液圧症候群の確実な診断にはMRI検査や脳槽シンチグラフィー(髄腔内に造影剤を注入し、全身CTを撮影することで、造影剤が髄腔内から硬膜外へ漏出していないかを調べる検査）が必要です。頭部MRI検査では特徴的な所見（硬膜の肥厚）が見られれば、ほぼ確定します。

治療は安静と水分補給（点滴で急速に水分を補給する方法もあります）が効果的です。ほとんどの人は数週間で自然に症状が改善します。これは安静にしているうちに硬膜の傷が治り、脳脊髄液の漏れが止まったため、と考えられています。無理をして体を動かしていると傷の治りも遅くなるので安静はとても大事です。

これらの方法で良くならない場合は髄液の漏れがどのくらいあるか、どの部分から漏れているのかの検査をした上で、漏れていると思われる部分に対して、ブラッドパッチ（硬膜外自家血注入療法）という手術を検討します。血液が固まる性質を利用して、髄液が漏れている部分の穴をふさぐ方法です。

Dさんの場合は、安静と水分補給により約3週間後には症状がなくなりました。頭痛のほか、あれほどひどかった耳鳴りもなくなり、すっかり頭痛は解消されました。

KARTE 6

認知症と間違われることもある…脳腫瘍

主婦のEさん（62歳女性）は、小さい頃から体が丈夫でした。風邪もほとんどひいたことがなく、60歳に入ってからは、「血圧が少し高い」と指摘されるようになったものの、これといった不調もありませんでした。ところが3か月ほど前から、頭痛が時々起こるようになりました。最初は我慢をして経過を見ていましたが、ここ

１週間、頭痛がひどくなりました。突然嘔吐も伴うようになったのです。吐き気も突発的で、一気にピークに達して嘔吐してしまいます。

家族から「いつもと様子がおかしいから診てもらったほうがいい」と言われ、心配になって、頭痛外来を受診しました。

患者さん「ここ最近、頭痛が続くんです」
金中「どこが痛むのですか？」
患者さん「どこっていうのははっきりわからないのですが、頭全体が重く、しつこく痛むんです」
金中「一日中痛みますか？」
患者さん「特に朝ですね。朝起きた時が一番痛いです」
金中「吐いたりすることはありますか？」
患者さん「今まで吐いたりはなかったのですが、ここ最近は急に嘔吐してしまうことがあります」
金中「頭痛と嘔吐以外の症状はありますか？」
患者さん「私は頭痛だけだと思っているのですが、家族が私のことを『ボケてきた』と認知症扱いするので、困っています」
金中「どうして？　そんな行動があったのですか？」
患者さん「ええ、私の打つスマホのメール文章がおかしいとか言われます。あと、置き忘れが多くなったとか。私はそんな行動はしていないと思いますけど……」

Ｅさんの頭痛は脳腫瘍による頭蓋内圧亢進症状が原因でした。脳腫瘍は頭蓋骨の中にできる腫瘍の総称です。良性腫瘍と悪性腫瘍に分類されます。増殖が速く、周辺の神経細胞にしみ込んでいくよう

Eさん（脳腫瘍）

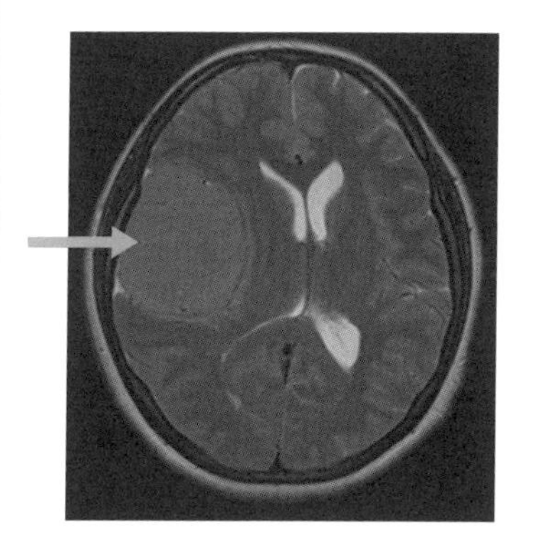

右脳腫瘍である。向かって左側に見える塊が腫瘍であり脳を圧迫している（矢印）。これにより頭蓋内の圧が高くなっている。

に広がっていくのは悪性で、主に大脳、小脳、脳幹などの脳実質（神経細胞や神経膠細胞などからなる脳の実質の部分）に発症します。こちらは進行すると命に関わります。

一方、良性の増殖はゆっくりで、大きくなると脳を圧迫するものの神経細胞を壊すことはありません。こちらは主に髄膜や下垂体、脳神経などに生じ（神経鞘腫）、手術で腫瘍を取り除けば、治ります。なお、脳腫瘍をさらに細かく分類すると150種類にもなるのですが、詳細は他書に委ねます。

脳腫瘍として共通するのは「朝の頭痛」です。簡単なイメージとして脳はヘルメットのような頭蓋骨の中に、ちょうどいい寸法でおさまっています。そこに腫瘍のようなできものが加わると、容積が一定の頭蓋骨の中がパンパンとなり圧力が高くなります。頭蓋内圧が亢進するのです。このため腫瘍があっても日中は立位が多いので、重力によって脳が下がり、圧が逃げるため症状がやわらぎます。

一方、横になると脳が上がってくるので腫瘍による圧力が高まり、痛みが起きやすくなります。このため起床時に頭痛を感じるというわけです。

症状は腫瘍が大きいほどひどくなりますが、頭痛は重だるい痛みで、クモ膜下出血のような激烈なものではありません。そのため、頭痛があっても我慢してしまう人が多いようです。良性腫瘍の場合、何年、何十年と気づかないまま、腫瘍が少しずつ大きくなってしまった人もいます。

一方、腫瘍が小さくても、運動神経に接していれば麻痺が発症することがありますし、目の神経なら目が見えにくいなど視神経の症状が、耳の神経なら聴力が落ちるといったことが起こることもあります。腫瘍ができた場所や大きさによってあらわれる特徴はかなり違います。また、人間の高次機能に関連するところに発生すると、認知症のような症状があらわれます。つまり、Ｅさんが家族に「ボケてきた」と言われた理由は、認知症ではなく、脳腫瘍による高次脳機能障害だったのです。

この患者さんのケースは、左大脳半球の奥にできた「髄膜腫」という良性の脳腫瘍によるもので、開頭腫瘍摘出術により取り除くことができました。

腫瘍が取り除かれるとまもなく、頭痛や認知症に似た症状もなくなりました。現在も元気に外来へ通ってきてくれています。

なお、悪性の脳腫瘍についても、治療が進歩しています。脳腫瘍のタイプにもよりますが、早期ならば手術や放射線治療、抗がん剤などで寛解に至るケースもあります。早期発見が大事なので、頭痛があればMRIなどの画像検査を受けることが大事です。

KARTE 7

長引く子どもの頭痛には要注意
…副鼻腔炎を伴う頭痛

F美さん（12歳女児）は、約1か月前からひどい頭痛を訴えるようになりました。かかりつけの医師からは、「片頭痛」と診断され、薬を処方されましたが、一向に良くならないため、心配した母親が頭痛外来に連れてきました。

患者さんの母「1か月前からしばしば頭痛を訴えるようになったのですが、ここ1週間は毎日頭痛があり学校を休んでしまいます」
金中「今までもこんな痛みはありましたか？」
患者さん「今まではないです」
患者さんの母「こんな頭痛は初めてですね」
金中「朝から痛くなりますか？」
患者さん「はい。朝起きてからずっと痛みます。頭を下にすると痛みは強まります。また、頭痛と共に耳も痛くなってきました」
金中「頭はどこが痛くなりますか？」
患者さん「前の方が痛いです。おでこの方」
金中「気持ち悪くなって吐いたりしますか？」
患者さん「そういうのは、ないです」
金中「ここ（患者さんの眉毛の周辺）押さえて痛いかな？」
患者さん「痛い！痛い！」
金中「副鼻腔炎がありそうですね」

患者さんの母「あーそうなんです。実は花粉症がひどいんです。頭痛の原因はそれですか？」

F美さん（副鼻腔炎）

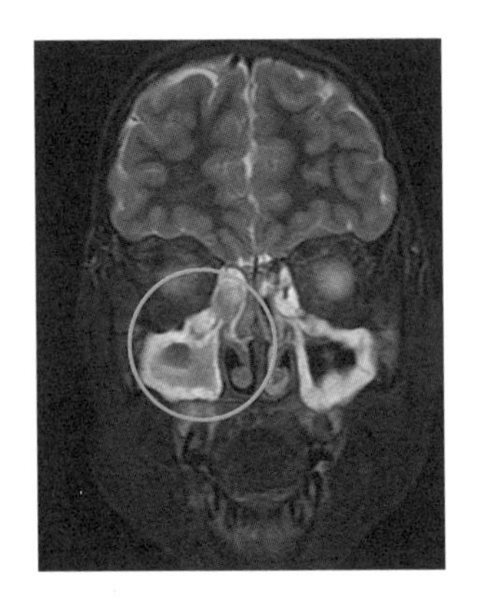

上顎洞や篩骨洞に炎症物の貯留を認める（○印）。急性副鼻腔炎の所見である。アレルギー性鼻炎や花粉症、風邪や虫歯などで発症する。

長引く子どもの頭痛の原因が副鼻腔炎だったというケースはけっこうあります。

副鼻腔炎は多くは鼻風邪をきっかけに発症する「急性副鼻腔炎」から始まります。私たちの体にはさまざまな常在菌がすみついていて、鼻の奥にある副鼻腔にはとくにたくさんの菌が存在しています。副鼻腔は外界との接点であり、いろいろなウイルスや細菌が体に入ってきますが、通常の免疫力がある場合には自分の力で、その細菌やウイルスを排除することができます。

しかし、何らかの理由で免疫力が下がると病原菌として感染症を引き起こすことがあります。急性副鼻腔炎はこうした病気の一つなのです。この急性副鼻腔炎が長引くと、副鼻腔粘膜が炎症を起こして腫れ、慢性副鼻腔炎になることがあるのです。

副鼻腔炎に伴う頭痛は、膿がたまっている副鼻腔の部位に一致して痛みがあらわれやすいという特徴があります。例えば上顎洞に膿がたまっている場合は、頬や歯の痛み、前頭洞の場合はおでこの痛み、篩骨洞の場合は目と目の間やこめかみの痛み、蝶形骨洞の場合は目の奥の痛みです。F美さんの場合はおでこの部分に痛みがあり、前頭洞に炎症が起こっている可能性が高いと思われました。
一方、複数の副鼻腔に炎症が起こっている場合は、なかなか判断がつきません。そこでCTを撮影します。副鼻腔炎が起こっている場合、炎症が起こっている副鼻腔の部分が白く写ります。

頭痛の原因が副鼻腔炎と診断された場合、抗生剤などで副鼻腔の細菌を死滅させることで症状が良くなります。必要に応じて耳鼻咽喉科にご紹介し、連携して治療を進めていきます。

KARTE 8

高齢者に多い…慢性硬膜下血腫による頭痛

H子さん（74歳女性）は自立した高齢女性。普段から友だちと会食をしたり、旅行に行ったりと活発な毎日を送っていました。ところがこのところ頭痛に悩まされ、外出もままなりません。市販の鎮痛薬も効きません。日に日に元気がなくなり、何とスマートフォンが打てなくなってしまいました。「認知症が始まったのではないか」と心配する家族に連れられて、外来にやってきました。

患者さん「（家族に連れられて）1週間前頃よりスマートフォンが使えなくなりました。メールが打てないのです」
金中「打てないというのは、文章が作れないということ？」
患者さん「スマートフォンを持っていられないんです。すぐ落としてしまうんです」

金中「1週間前から急にですか？」

患者さん「そうですね。だいたいその頃からですかね。それから初めは、今もそうですが、ずっと頭が痛かったんです」

金中「頭痛も？　どのあたりが痛みますか？」

患者さん「頭全体ですね。一日中痛いです。そして最近よく転ぶんですよ」

金中「なるほど。少し思い返してみてください。先月か先々月に頭とか打ってないですか？　もしくはケガをしたとか？」

患者さん「そういえば……、2か月前頃に自転車に乗っている時に転んで、顔面を打ちました。おでこから頬あたりを打ち付けて、擦り傷ができました」

H子さん（慢性硬膜下血腫）

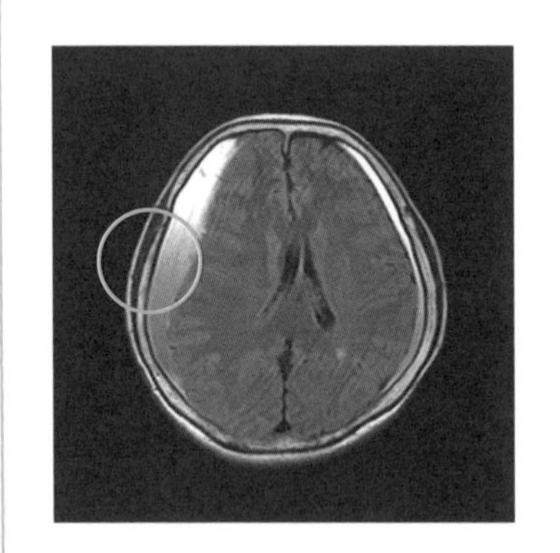

右側（向かって左側）に三日月状の血腫を認める（○印）。右側（向かって左側）から左側（向かって右側）へ脳を圧迫し、正中構造（左右対称）が破綻している。

脳は硬膜と呼ばれる膜で覆われています。慢性硬膜下血腫とはこの硬膜と脳の間にケガなどをきっかけに血の塊ができることで、頭痛や手足の麻痺、記憶力の低下などの認知症のような症状が起こる病気です。

原因は主に頭を打ち付けるなどの外傷がきっかけで、内部に少しずつ血液がたまることで発生します。たまった血腫が脳を圧迫するために頭痛などの症状があらわれるのです。

この患者さんのように、2〜3か月前に外傷など思い当たることがあるケースがほとんどで、問診で慢性硬膜下血腫とほぼ確定できることも多いのです。一方、軽微な頭部打撲、例えば「階段に頭をコツンとぶつけた」などでも慢性硬膜下血腫は発生するため、頭部外傷の記憶がないという方もいらっしゃいます。

なお、高齢者の場合は、加齢の影響で脳と硬膜にすき間があいているため、とくに血がたまりやすく、しりもちをついた程度で血腫ができることがあります。また、若い人でも深酒をする人などは転倒をきっかけに、慢性硬膜下血腫になることがあります。

しかし、高齢者の場合、症状が認知症に似ているため、ご家族も気が付かないことが多いのです。この病気は脳そのものには影響がないので、手術で血腫を取り除けば、症状は良くなることが多いです。「治る認知症」と言われているのはこのためで、ご家族に高齢者がいる場合は注意してあげてほしいと思います。

慢性硬膜下血腫は血腫が少なければ漢方薬などの飲み薬で良くなることもあります。量が多い場合は、局所麻酔下で手術（穿頭血腫ドレナージ術）を行います。頭蓋骨に直径約1㎝の小さい穴を開けて細い管を挿入し、血腫を除去する手術です。手術は１時間程度で、約1週間の入院が必要となります。約9割の患者さんは血腫が取り除かれた後、徐々に症状が改善していきますが、１割程度の患者さんは再発し2回目の手術が必要となる場合があります。

KARTE 9

話すだけで痛い。左顔面の激しい痛み

Ｉさん（54歳男性）は生まれつき健康で、病院にはほとんど行ったことがありません。2年前、歯磨きや髭剃りをしている時に左顔面に電気が走るような痛みが数日続いたことがありましたが、やがて自然消失したため、医療機関は受診しませんでした。

しかし1か月ほど前から、2年前と同じような痛みが再び襲ってくるようになりました。左顔面痛が毎日のように起こるのです。特に左奥歯あたりから放散する痛みがひどく、虫歯かと思い歯医者に行きましたが、「虫歯はない」と言われました。ここ数日は会話をしていても痛みが出現するため、仕事にも支障をきたすようになり、意を決して、外来にやってきたのです。

患者さん「先生、左顔面が痛くて、痛くて……、生活に支障が出ています」

金中「どんな風に痛みが出ますか？」

患者さん「左上の奥歯の方から出る、電気が走るような、ズキッとする痛みです」

金中「虫歯の治療とかは、されていますか？」

患者さん「最初は虫歯かと思って歯医者に行きましたが、虫歯ではないといわれました……、あ、いたた……」

金中「今も痛みましたね。つらそうですね」

患者さん「はい。最近は話をしても痛むので、とてもつらいです」

金中「1回の痛みはどのくらい持続しますか？」

患者さん「数秒ですが、いったんおさまって、また、すぐに痛むこ

との繰り返しです」
金中「顔の右側にも痛みは出ますか？」
患者さん「いえ、右側には痛みは出ません」
金中「痛み以外の症状はありますか？」
患者さん「ないです」

Ｉさんの痛みはその症状から、三叉神経痛が疑われました。三叉神経は顔面に生じる痛みやかゆみなどの感覚を、脳に伝える神経です。額から眼・上あご・下あごと三つの枝に分かれているため、この名称が付いています。三叉神経痛はこの三叉神経が何らかの原因で圧迫されることで起こります。

最も多いのが近くにある動脈です。これが三叉神経を圧迫し、痛みが起こります。このほか、静脈や脳腫瘍、クモ膜の癒着が原因になることもあります。そこで早速、原因を探るためにMRI検査を実施しました。すると、付近の動脈が三叉神経を圧迫している様子がわかりました。

三叉神経痛は病状が進行しても、生命や後遺障害などの危険性はないので、急いで治療をする必要はありません。ただし、痛みがひどくなると、食事や歯磨き、洗顔などができないこともあります。そこでまずはテグレトールなどの薬やペインクリニックによるブロック治療で、痛みを軽減させる治療を実施しました。

しかし、十分な効果が得られなかったため、専門施設にご紹介し、三叉神経を圧迫している血管を剥離し、移動させる手術が行われました。手術は耳の後方を切開し、骨に500円玉くらいの穴をあけて、顕微鏡で三叉神経を観察しながら行います。手術は全身麻酔で5〜6時間程度です。手術後2週間程度で退院でき、痛みはすっかりなくなりました。

COLUMN

脳動脈瘤

脳の血管のコブ状の膨らみのことを脳動脈瘤と言います。脳血管は3枚の膜構造から成り立っています。血液の接する一番内側の内膜、一番外側の外膜、内膜と外膜に挟まれた膜である中膜です。

動脈瘤では中膜が欠損しており、その部分は内膜と外膜だけの2枚構造となっています。そのため、壁の強度が低くなり、血管の中を流れて来た血液が当たると、外側に膨れ上がってしまうのです。

こうした動脈瘤はあってもほとんどが無症状のまま、一生を終えます。一方、動脈瘤がいったん破裂すると危険な頭痛の代名詞である「クモ膜下出血」という重篤な病気へと豹変します。

クモ膜下出血は脳卒中の一つであり、誰もが聞き慣れた名前であると思いますが、放置すると70%近くの人が亡くなる、とても怖い病気です。突然の激しい頭痛と吐き気に襲われ、重症な場合には意識がなくなり、初回の出血で約30~50%の人が死亡します。最近では脳ドックや　頭痛外来などでMRI検査を受ける機会が多くなり、脳動脈瘤が発見されやすくなりました。

統計からは、日本人（成人）の3~6%に脳動脈瘤が存在することがわかっています。この状態で、破裂していない動脈瘤を未破裂脳動脈瘤といいます。未破裂脳動脈瘤が破裂してクモ膜下出血となる確率は、動脈瘤のできている場所や大きさによって異なりますが、おおむね年間の破裂率が1%未満と言われています。

年間の破裂率ですので年々積み重なっていくと考えられ、10年間では10%程度になると言われています。脳動脈瘤に対する外科的治療としては1970年代以降、「開頭クリッピング術」が世界的な標準的治療として普及しています。開頭クリッピング術は、頭蓋骨の一部を開き、脳動脈瘤の根元をチタン製のクリップで挟んで脳動脈瘤への血流を遮断する治療法です。

近年では動脈瘤に対するより低侵襲な治療として血管内治療であるコイル塞栓術（カテーテルを使った頭を切らない手術）が開頭クリッピング術と並び標準的な治療として選択できるようになってきています。コイル塞栓術は、足のつけ根からカテーテルという管を挿入して、プラチナ金属製のやわらかい「コイル」を脳動脈瘤の中に詰め、脳動脈瘤への血流を遮断する治療法です。

いずれにせよ、クモ膜下出血の予防には、未破裂脳動脈瘤の発見が重要です。このため、家族にクモ膜下出血を発症した人がいるなどリスクの高い人（69ページ、「クモ膜下出血」の項参照）などは積極的に脳ドックを受けてほしいと思います。

第 3 章

つらい 頭痛の代表・片頭痛の最新治療

「片頭痛は薬を飲み続けなければ治らない」は嘘

いよいよこの本で最も伝えたかった片頭痛の治療の最前線について、できるだけ詳しく、わかりやすく紹介していきます。この章では、これまで市販薬を使っても良くならなかった人、あるいは、さまざまな医療機関にかかったけれど、思うような効果が得られなかった人など、つらい思いをしてきた患者さんにとって、助けとなる情報を伝えることが一番の目的です。

最初にお伝えしたいのは、「片頭痛という頭痛をよく理解してほしい」ということです。片頭痛に苦しむ患者さんは、これまでに十分な頭痛の理解を得られるような説明を受けてきていないことが多く、自分の頭痛を知らずに頭痛と戦っています。まずはご自身の頭痛のことをよく知ることが治療への第一歩です。そして、患者さんの理解を深めるところが頭痛外来なのです。

例えば、「片頭痛の人は、薬を飲み続けないといけない」という理解は間違っているということです。片頭痛を完全に治すことは難しいけれど、予防薬というものがあってそれを一定期間服用することで強い頭痛が出ない、出たとしても頭痛は軽く日常生活に影響しないといったいわゆる「寛解（かんかい）」に導くことは十分可能です。

片頭痛における寛解をもう少し詳しく言いますと、「予防薬を服用しなくても発作（痛み）が起こらない（起こってもごくたまに）状態で、ごくたまに頭痛が起こっても弱い頭痛で、鎮痛薬やトリプタンの服用ですみやかに痛みがおさまること」です。これはいわゆる片頭痛治療のゴールと言えるものです。

そのためには、頭痛外来を中心とした専門医がいる医療機関で、頭痛専門治療を受けることが大事です。そのような医療機関にかかることで治療のゴールが実現できることを知ってほしいと思います。

片頭痛の発生機序を理解しよう

片頭痛を治療する上で、知っておいていただきたいのは片頭痛の持つ特有な背景と片頭痛の発生メカニズムです。

まずは片頭痛の持つ特有な背景です。片頭痛の患者さんに共通しているのは脳の過敏性という遺伝子的な要因で、さまざまな誘発因子（トリガー）によって頭痛を誘発してしまう脳の「恒常性の破綻」があります。

恒常性の破綻とは、わかりやすくいうと、コンピュータが誤作動を起こすように、脳の一部がいわばバグってしまうという現象が一時的に生じやすいということです。その結果として、頭痛のほか吐き気や感覚の異常、行動の異常、自律神経の乱れなどを伴ってしまいます。これが、まず片頭痛が頭痛だけではなく、さまざまなつらい症状を伴う原因であり、理解していただきたい点です。

次に、片頭痛の発生メカニズムですが、知覚神経である三叉神経と脳血管という二つの悪者が頭痛を産生しています。三叉神経に頭痛の原因となるタンパク質（CGRP）を放出するように指令を出す司令塔が脳の視床下部の脳深部にあります。司令塔の指示に従い三叉神経から痛みタンパクであるCGRPが放出されると、そのタンパク質が脳血管のCGRP受容体に結合して血管が拡張、炎症を起こし頭痛発作が起こります。

メカニズムをあらためてまとめると、「何らかの誘発因子→視床下部が作動する→三叉神経に指令→三叉神経からCGRP放出→炎症反応が起きる→脳血管にある受容体にCGRPが結合→脳血管が反応し拡張も起きる→頭痛発作」となります。ぜひ、理解していただきたいと思います。

治療のゴールまでは約半年〜1年が目標

治療のゴールを実現するまでの期間は患者さんごとに異なりますが、当院では片頭痛になり始めた患者さんの場合で、約半年〜12か月を目安にしています。

片頭痛は発症後、適切な治療をしないまま年月がすぎると慢性化しやすいこと、また、治りにくい別の一次性頭痛に変化しやすいことがわかっています。そこで、集中的に治療をし、寛解に導いていこうというわけです。患者さんは若い方も多く、「この先、一生予防薬を内服しなければならないのだろうか」と不安に思います。しかし、半年〜12か月、適切な頭痛治療を徹底することで、薬（予防薬）を減薬、休薬していけるのです。

片頭痛では脳皮質という部分が痛みだけでなく、光や音、においなど、あらゆる感覚に過敏な状態になっています。しかし、この過敏性は予防薬を使うことで良くなっていくのです。過敏性が解消されれば、痛みを過剰に感じにくい平常な脳に戻るため、片頭痛が起こりにくくなります。

新しい薬の登場で、片頭痛の予防が可能になった

筆者がこのように自信を持って片頭痛治療のゴールを示すことができるようになった理由の一つに、片頭痛の予防治療がこの1、2年で劇的に進歩したことがあります。具体的には抗CGRP関連製剤の登場です。この薬は注射剤ですが、片頭痛の起こる、おおもとに近い部分（片頭痛産生工場）に働く薬で、非常に効果が高く、それまでの予防薬（内服）で思うような効果が得られなかった患者さんが、「頭痛発作をゼロにできる」ケースが増えています。

片頭痛で長年苦しんできた患者さんにとっても、専門医の筆者にとっても、世界が180度変わるくらいの治療法で、実際の治療ではこうした最新の薬も上手に取り入れながら進めていきます。また、片頭痛の分野ではさらに新たな薬剤や「ニューロモデュレーション」（電気や磁気、薬などによって神経を刺激することで、神経の働きを調整＝モデュレートする治療法）といった治療機器なども開発されており、今後さらに治療が大きく変革する領域でもあります。

片頭痛の急性期（痛い時の）治療

片頭痛の治療は大きく分けて2種類あります。頭痛発作が起こった時に、できるだけ早く痛みを抑えるための「急性期治療」と、頭痛がない日に薬を使用し、片頭痛を起こりにくくする、または起こっても軽くすむようにするための「予防治療」です。まずは急性期治療から解説していきましょう。

急性期治療では比較的軽度の場合は鎮痛薬の中でも作用がマイルドな、非オピオイド系鎮痛薬を使います。代表的な薬にはアセトアミノフェン（商品名：カロナール）、ピラゾロン系解熱鎮痛消炎配合剤（商品名：SG 顆粒）、イブプロフェン（商品名：ブルフェン）やロキソプロフェンナトリウム水和物（商品名：ロキソニン）などがあります。

こうした薬で良くならない場合、あるいは、中等度以上の片頭痛と診断がついた場合は、片頭痛治療薬のトリプタン製剤を使用します。トリプタン製剤は内服のほか、点鼻や注射などいろいろなタイプがあります。まずは作用機序から解説しましょう（次ページの図を参照）。

片頭痛は血管の収縮・拡大を調節する作用のあるセロトニンが何らかの原因で大量に放出されることで起こります。セロトニンが大量に出ると脳の血管が収縮しますが、セロトニンが出尽くしてしまうと今度はその反動で、脳の血管は逆に拡張します。この一連の働きによって脳の三叉神経が刺激され、CGRP という血管を拡張させる性質を持つタンパク質が放出されることが原因です。

トリプタン製剤は片頭痛を発生させる三叉神経の末端にある「セロトニン5HT1B1D 受容体」という部分に働きます。セロトニン5HT1D 受容は片頭痛の痛みの主役である CGRP（三叉神経から分泌される）を抑え、セロトニンを再び増やすことで血管の過剰な拡張を抑えます。セロトニン5HT1B 受容体は血管収縮作用に関与しています。

しかし、CGRP は一度出始めると水道の蛇口から出る水のように、どんどん流れてきます。これが大量に流れてくると、トリプタン製

トリプタン製剤の作用

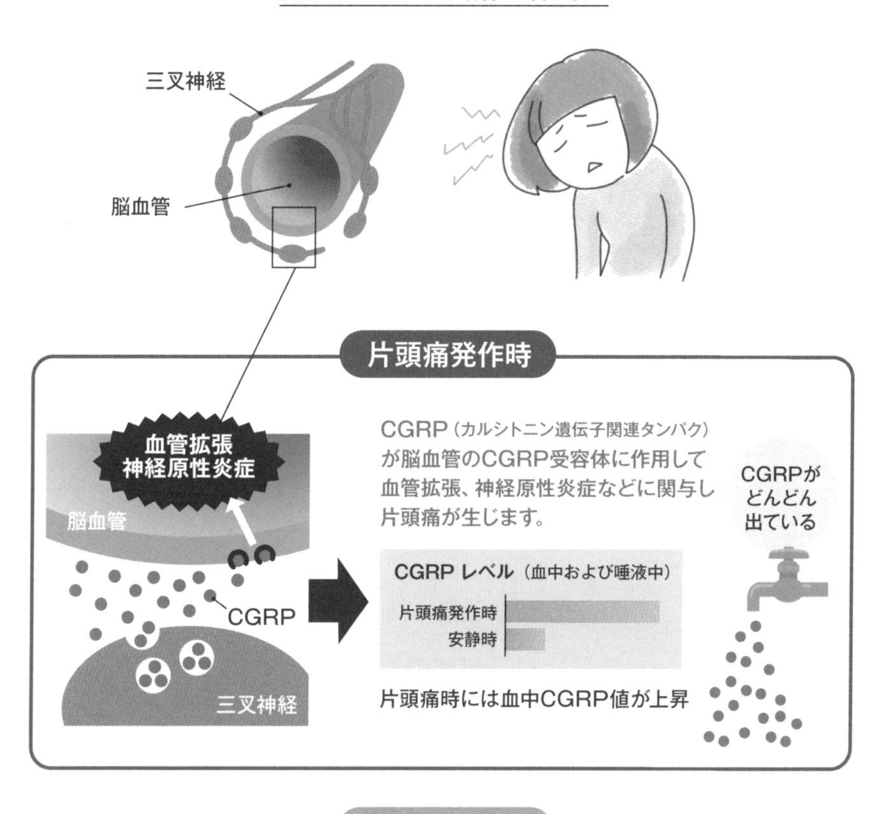
三叉神経
脳血管
片頭痛発作時
血管拡張
神経原性炎症
脳血管
CGRP
三叉神経
CGRP（カルシトニン遺伝子関連タンパク）
が脳血管のCGRP受容体に作用して
血管拡張、神経原性炎症などに関与し
片頭痛が生じます。
CGRPが
どんどん
出ている
CGRP レベル（血中および唾液中）
片頭痛発作時
安静時
片頭痛時には血中CGRP値が上昇

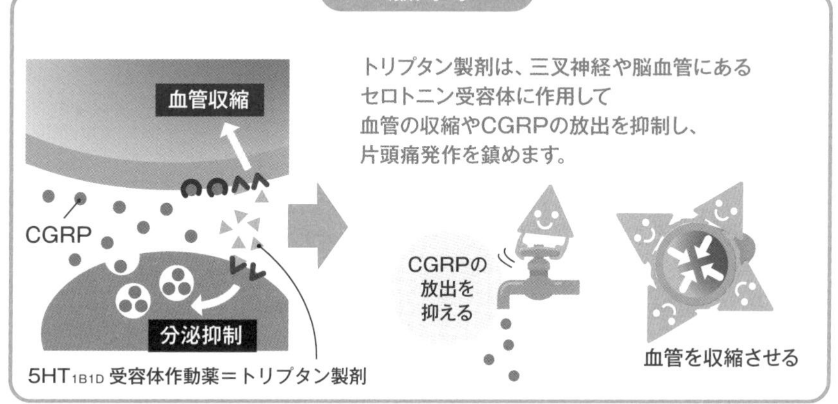
服用時
血管収縮
CGRP
分泌抑制
5HT1B1D 受容体作動薬＝トリプタン製剤
トリプタン製剤は、三叉神経や脳血管にある
セロトニン受容体に作用して
血管の収縮やCGRPの放出を抑制し、
片頭痛発作を鎮めます。
CGRPの
放出を
抑える
血管を収縮させる

剤の働きが追い付きません。このため、トリプタン製剤はCGRPが分泌され始めたらすぐに使用することがポイントになってくるわけですが、このタイミングこそが一番難しいのです。

具体的には、頭痛を感じ始めたらすぐに使用します。遅くとも60分以内でないと効果がありません。20〜30分以内がベストです。

頭痛が発生する前に首や肩のこりが出現し、食欲低下や眠気、あくびが出てきたり、光過敏や音、嗅覚に過敏であるなど、予兆を感じたらトリプタンを飲む準備をしておきましょう。しかし、この段階では飲んではいけません。こうしたポイントを十分に理解しないまま使用を始めてしまうと、うまくいかないのです。

「トリプタン製剤を服用したのに、全然効かない」と患者さんが不満を感じたり、逆に痛みが出るのが怖いからと、発作が起こる前に

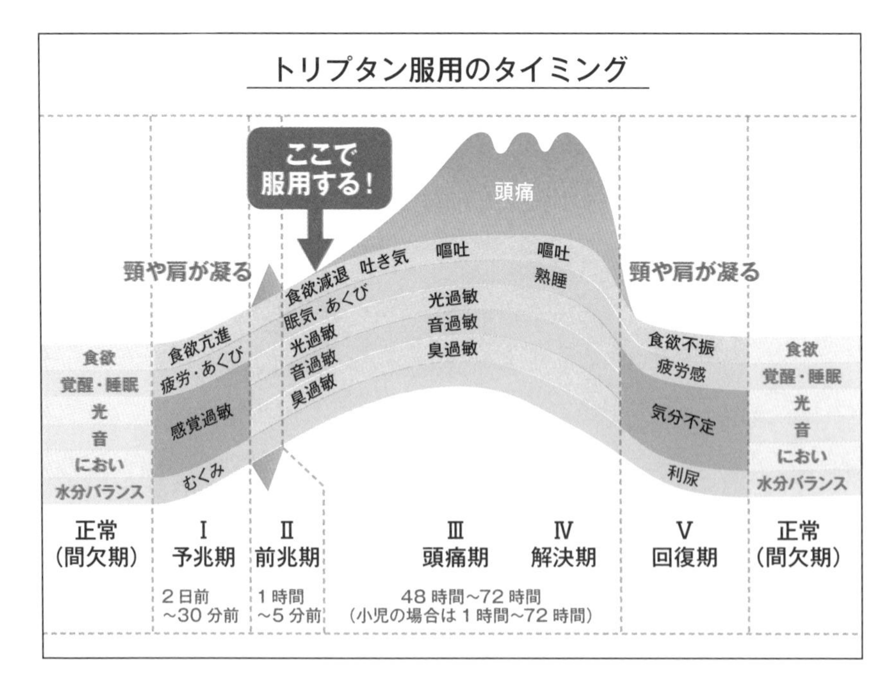

トリプタン製剤を頻回に使用するようになり、MOH の引き金となってしまうため、注意が必要です。

一方、きちんとタイミングをつかんで使用することは決して難しくありません。これまで使って、うまくいかなかった人は、医師や看護師に使用のコツをよく聞き、もう一度、チャレンジしてみてください。もし、きちんと使用法を説明してくれない医療機関があったならばその外来は避けたほうがいいでしょう。

トリプタンの副作用を知っておけば怖くない

トリプタン製剤には頻度は多くないものの、副作用が出ることもあります。代表的なものはめまい、ふらつき、脱力、胸苦しさです。特に胸苦しさについてはトリプタン製剤に特有な副作用として「胸部症候群」が知られています。「トリプタン感覚」とも呼ばれ、首や胸、のどや肩の締め付け感や、重感、圧迫感や痛み、息苦しさといった不快感が服用後20〜30分で出現することが多いです。これはトリプタン製剤に血管収縮作用があるためなのです。頭痛発作時に拡張している脳血管を収縮させる働きがあります。

ただし、この感覚は10分から2〜3時間たつと消失します。また、胸の苦しさは狭心症や心筋梗塞との関連は基本的にありません（ただし、高齢者や心臓疾患のある人はトリプタン系薬剤を服用すべきでないとされています）。

このような感覚が起こるかもしれないことをあらかじめ知っていると、多くの患者さんは安心して症状をやりすごすことができることが多いのです。

5種類のトリプタン製剤の使い分け

トリプタン製剤は5種類の中から、患者さんに合うものを処方します。また、口腔内崩壊錠や点鼻、注射などバリエーションに富みます。これらの薬剤の大きな違いは効果が出るまでの時間と、持続時間の違いです。また、形状の違いもあります。選び方としては、自己注射や点鼻などは即効性があるので重度の片頭痛の人に勧められます。ただし、注射は自分でする必要があり、生活スタイルによっては使用が難しいこともあるでしょう。

薬は作用と副作用、メリットとデメリットのバランスを考えて選びます。主治医とよく話し合った上で、まずは良さそうなものから始めてみること。副作用が気になる場合は、量を減らしたり、違うトリプタンに変えることを考えます。

最初の薬で期待したほどの効果が得られないこともあるかもしれません。そのような場合は遠慮なく、主治医に伝えることも大事です。言いにくければ看護師など他の医療スタッフに伝えましょう。ぴったり合うものが見つかるまでは、一定の期間がかかることが普通です。

5種類のトリプタン製剤とそれぞれの特徴

○イミグラン（スマトリプタンコハク酸塩）

内服・点鼻・自己注射の3種類のラインナップがあります。内服は約30分、点鼻は約15分、自己注射は約5〜10分で効果が出るとされていますが、2時間程度で薬の効果が減弱します。妊娠中や授乳中にも内服できる第一世代のトリプタン製剤です。

○マクサルト（リザトリプタン安息香酸塩）

口腔内で溶けるため水なしで内服できる薬で、イミグランと同様、効き目が早く、2時間程度で効果が減弱します。効き目の速さは最速で減弱する時間も速いですが、かといって再発が多いわけではありません。

○レルパックス（エレトリプタン臭化水素酸塩）

内服です。効き目が早く、作用時間も長めです（3時間程度）。副作用が比較的少ないとされます。授乳中にも内服できる薬です。

○ゾーミッグ（ゾルミトリプタン口腔内速溶錠）

口腔内で溶けるため水なしで内服できる薬です。効き目はゆっくりで、作用時間は長めです（3時間程度）。中枢移行性が高く、より脳の奥で作用します。

○アマージ（ナラトリプタン塩酸塩）

内服です。効き目はゆっくりですが、他の薬に比べ圧倒的に作用時間が長く続きます（半減期5時間程度）。頭痛時間が長い月経中の片頭痛に用いると効果的なことがあります。

制吐剤にも片頭痛を軽減する効果がある

片頭痛の発作では悪心や嘔吐が起こることが多く、これを抑えるために制吐剤を勧めることが多いです。処方されていない場合は、遠慮なく相談しましょう。

薬はドンペリドンやメトクロプラミドなどで、鎮痛薬やトリプタン製剤を使うタイミングで一緒に服用します。制吐剤は消化管の働きをよくするので、鎮痛薬やトリプタン製剤の吸収をよくする効果も期待できます。また、頭痛は取れても嘔気（吐き気）だけが残る場合もあり、嘔気も生活支障度を高める原因と考えられます。

かつては広く使われていたエルゴタミン製剤

長年、片頭痛の治療を続けてきた人にとっては、エルゴタミン製剤はなじみのある薬かもしれません。クリアミンという商品名の薬です。この薬はトリプタン製剤が登場するまでは、片頭痛治療薬の立役者として広く使われていました。

酒石酸エルゴタミンを主成分とした薬で、脳の血管を収縮させ、血管周囲の炎症を抑えることで片頭痛の痛みを和らげます。服用により悪心や嘔吐が起こりやすいことから、現在ではあまり使われなくなりましたが、作用時間が長いこと、長期間使っても効果が低下しにくいといった特徴があり、この薬が合う患者さんもいます。また、トリプタン製剤が使用できない人など、患者さんによっては治療の選択肢になるのです。

服用のタイミングを心配しないですむ新しい薬

次は片頭痛の新しい薬についてです。片頭痛に悩む人は世界中に多くおり、製薬会社は常に効果のある使いやすい薬を目指して研究を続けています。こうした中、2022年に登場したのがレイボー(ラスミジタンコハク酸塩）です。この薬はトリプタン製剤とは違う作用で片頭痛を抑えます。

トリプタン製剤はセロトニン1Bおよび1D受容体に作用してCGRPの放出を抑えるのに対して、こちらは セロトニン1F受容体という部分に働く、「ジタン系片頭痛治療薬」という薬なのです。
難しいことはあえて書きませんが、トリプタン製剤に比べ、より片頭痛の起こるメカニズムに直接的に働く薬と考えてください。その分、血管収縮作用がなく、「トリプタン感覚」のような症状は起こりにくいことがわかっています。

また、レイボーは服用のタイミングを選ばず効果が期待できます。トリプタン製剤がタイミングよく使えなかった人に向いています。この薬は頭痛外来などで処方ができるようになっています。該当する人は主治医に相談してみるといいでしょう。

もう一つ、今後出てくる予定の片頭痛治療薬もあります。ゲパント（ゲパント小分子 CGRP 受容体拮抗薬）という薬で、すでにアメリカでは承認、使用されています。トリプタン製剤と比べて副作用が少なく、心臓や血管系の病気や危険因子を持つ患者さんにも使えます。痛い時の急性期の治療と、発作頻度や頭痛の程度を減らす予防的治療の両者に使える内服薬です。
トリプタン製剤では効かない人、逆にトリプタン製剤などの使いすぎで MOH になってしまった患者さんに対して、代替薬になると期待されています。
（この項目の参考：片頭痛診療の新たなるステージ　多根総合病院脳神経外科　住岡真也ら）

薬の使用頻度が増えてきたら要注意

急性期治療で鎮痛薬やトリプタン製剤を頻回に使うようになると

MOHに移行してしまうことがあります。単一成分の鎮痛薬であれば1か月に15日以上、複合成分の鎮痛薬やトリプタン製剤では、1か月に10日以上の使用が3か月以上続くことで薬物乱用頭痛になる可能性があることがわかっています。市販薬のほとんどが複合成分の鎮痛薬であり、MOHに陥りやすいのはこのためです。

薬の利用回数が増えてしまう理由は、発作の回数が増えたり、頭痛の程度が重くなるためです。その中には薬の量が十分でなかったり、トリプタン製剤の服用タイミングがずれているために効いていない場合もあります。まずはこうした点を探って、できることに取り組み、できるだけ薬の量が増えないようにしていきます。

患者さんには、「頭痛ダイアリー」を使っていただき、頭痛のあった日や頭痛の程度や薬の使用状況をメモしてもらいます。

頭痛ダイアリーの記録は、患者さんにとっても自分の頭痛を客観的に見ることができる大切なツールです。片頭痛は食べ物や気候など、さまざまな誘発因子で起こるので、頭痛ダイアリーをつけておくと、何が自分にとっての誘発因子かが見えてくるようになります。

片頭痛の予防治療

急性期治療だけで頭痛がコントロールできない場合、あるいは初診の段階で、中等度以上の片頭痛があり、トリプタン製剤だけでは痛みを抑えることが難しいと判断される場合は、予防薬による予防治療を併用していきます。

予防治療とは片頭痛が起こっていない時に行う治療です。予防治療を行うと、頭痛発作の回数が減る、あるいは痛みの程度を減らすなどの効果が期待できます。予防薬と急性期治療の併用により、ほとんどの患者さんは頭痛をコントロールし、健康な人とほとんど変わらない日常生活が実現できるようになります。当院では内服の場合はおおむね2種類ほどを使い、効果がない場合は他の薬を追加したり、注射剤の抗 CGRP 関連製剤の処方を考えます。

使用する主な薬は以下の通りです。

○ミグシス（ロメリジン塩酸塩）

カルシウム拮抗薬の一種で、血管の平滑筋にあるカルシウムチャネルの機能を阻害して血管の収縮を抑制したり、セロトニン受容体の遮断作用によって、セロトニンの異常放出を抑制することで、片頭痛の初期症状である血管の収縮を抑えます。

カルシウム拮抗薬は血圧の薬として知られていますが、片頭痛の予防薬として使う場合、血圧への影響が少ない量で使用します。

○インデラル（プロプラノロール塩酸塩）

こちらも血圧の薬として知られるβ遮断薬の一種です。血管の平滑筋にあるβ-アドレナリン受容体を遮断して血管拡張を阻害したり、セロトニンの放出を抑制する働きによって、片頭痛を予防します。時に甲状腺機能低下症を合併する場合があります。定期的な採血チェックも必要となります。

○デパケン（バルプロ酸ナトリウム）

抗てんかん薬の一種です。脳内の GABA（γ-アミノ酪酸）の代謝酵素を阻害することでセロトニンの働きを調整し、脳内の神経興奮を抑制することから、片頭痛の予防薬として使われるようになりました。

少々専門的な話になりますが、てんかんではバルプロ酸の血中濃度を50以上になるように内服の量を調整します。これに対して片頭痛ではそれよりも低く、41未満になるように設定して使用します。つまり、服用量はてんかんに対する場合よりも少なめになります。

○トリプタノール（アミトリプチリン塩酸塩）

抗うつ薬の一種です。神経伝達物質のセロトニンは減りすぎても頭痛の原因になります。抗うつ薬にはセロトニンの量を増やす働きがあるため、うつ病の有無にかかわらず、片頭痛の予防に効果が期待できます。なお、片頭痛に対してはうつ病に用いる場合の3分の1〜2分の1の用量で、効果が期待できます。抗うつ作用を持たない量で使用することが一般的です。

○抗 CGRP 関連製剤

片頭痛の原因となるCGRPを、トリプタン製剤とは異なり頭痛産生工場であるおおもとのメカニズムを予防的に抑え、片頭痛の発作を減らす注射薬です。初回は病院で注射しますが、2回目以降は患者さんや家族が自分で行う「自己注射」も可能な形状になっています。日本では3種類の注射製剤があり、どれも一回の注射で約1か月効果が持続します。

従来の予防薬を使っても痛みが十分にコントロールできない患者さんが対象です。非常によく効き、「片頭痛は何をやっても良くならない」とあきらめていた患者さんにとって、福音となっています。外来では「人生が180度変わった」「もっと早く出会いたかった」などと言われるほど満足度の高い注射製剤と言えます。

KARTE 10

抗CGRP関連製剤で片頭痛をコントロール

抗CGRP関連製剤については、詳しい解説の前にどのくらい効果があるかを患者さんのケースから、お伝えしたいと思います。

Aさん（33歳女性）は小学生の頃から頭痛がありました。大人になるにつれ頭痛の頻度は増えました。発作時はトリプタン製剤を内服していますが、回数が増えてきたので予防薬を内服したところ、週に3〜4回の発作が週1回程度に減りました。しかし、「その1回が痛くて耐えられない」ということで当院にやってきました。

以下は筆者と患者さんの初診でのやりとりの一コマです。

患者さん「2種類の予防薬を使っていますが、なかなか頭痛がコントロールできません。初めて受診した時よりは良くなっているのですが、友だちとの約束の日に頭痛で行けなかったり、週末になると頭痛が出たりと生活レベルが低下します。ただ、これ以上、お薬は増やしたくありません」

金中「予防薬はいろいろ試して今は2種類使っていますね。確かにこれ以上増やしたりするのは私も賛成しかねますね。ここ最近、片頭痛の予防に注射が使えるようになったのでそちらを使ってみましょうか？」

患者さん「注射ですか？」

金中「はい。片頭痛のメカニズムをブロックするのです。片頭痛は痛みの原因となるタンパク質がわかってきました。そのタンパク質を中和させたり、あるいはそのタンパク質がくっつく受容体に蓋をしてしまったりするお薬なんです。今は3種類の注射製剤があり、どれも非常に効果が高いです」
患者さん「痛いですか？　副作用はありますか？」
金中「お薬が入る時に少しだけ痛みがありますが、すごく痛いというわけではありません。副作用もほとんどなく、注射したところの皮膚の痒みや赤みなどがほとんどです」
患者さん「他にデメリットはありますか？」
金中「注射の効果はどれを使うかにもよりますが、約１か月です。１か月ごとに注射が必要なことと、お薬の値段が少し高いんです。医療保険は使えますが、1万3千円くらいしてしまいます」
患者さん「でも頭痛が消えるなら、使ってみたいです」

この後、Ａさんはどうなったでしょうか。治療開始から半年後の会話を再現してみましょう。

金中「頭痛のコントロールが難しくて大変でしたけれど、注射を使うようになって、前後で頭痛が変わりましたか？」
患者さん「全然違います。今日で注射は６回目ですが、それまでずっと嘔吐を伴う激しい片頭痛が多かったんですけど、１度もそういう頭痛がないです」
金中「ないですよね。寝込むこともない？」
患者さん「ないです」
金中「トリプタン製剤を使う頻度も、やっぱり減ってますか？」
患者さん「すごく減りました」
金中「注射剤、使ってみてよかったなって思います？」
患者さん「思います。梅雨の時期で、いつもなら頭痛が出やすい、けっこう嫌な季節ですけど、今のところ快適です」

Aさんは注射の回数と共に発作の回数が段階的に減っていきました。このお話は初回治療から約半年後で、すでにたまに痛みが出る程度になっています。痛みの程度も軽いので、トリプタン製剤ではなく、鎮痛薬であるカロナール（アセトアミノフェン）でほぼ治まります。

また、Aさんの場合は片頭痛の予兆として、眠気が特徴的で、抗CGRP関連製剤を使うまでは痛みが出ると寝込んでしまうことが多かったのですが、使用後はそこで仮眠がとれれば、薬を飲まなくてもしのぐことができる日が増えてきています。

なお、先に述べたように、当院では片頭痛の治療のゴールを半年後に設定していますが、この患者さんはまさにこの期間でゴールができたケースです。この後は安定した状態を維持することを目標に、生活療法を重視した治療を継続しています。

抗CGRP関連製剤はどのように片頭痛を予防するのか？

片頭痛の急性期治療薬であるトリプタン製剤は、血管収縮作用を有するセロトニンの受容体に作用し、片頭痛発作時に拡張している脳の血管を収縮させる働きと、三叉神経へと作用してCGRPの放出を抑制する作用があります。つまり、片頭痛の頭痛期が到来してから作用する薬であるため、以下に述べる抗CGRP関連製剤とは異なります。なぜならば、抗CGRP関連製剤は片頭痛の発作を起こす前に頭痛工場をブロックしてしまうからです。では、抗CGRP関連製剤について少し詳しくお話ししましょう。

抗CGRP関連製剤は、三叉神経終末から放出されたCGRPの働きを阻害する作用を持つ薬です。CGRPあるいは脳血管に存在するCGRP受容体に直接作用し、これらが結合して脳血管が拡張することを防ぎます。すなわち、頭痛の産生工場を停止させるのです。簡単に言うと、抗CGRP関連製剤を注射している間は、頭痛産生工場が停止するため片頭痛は小休止となります。薬の作用時間が長く、1回の注射で1か月の間はこの働きが維持できます。こうした画期的な作用を持つため、予防治療に使えるようになったわけです。

ただ、常に100％頭痛が停止しているかというと、実際にはそうではありません。脳の過敏性が高まっている時には、注射薬を飛び越えて頭痛が発生します。しかし、それまでのように寝込んだり、嘔吐したりする「生活支障度が高い頭痛」は起こらないことが一般的と考えていただくといいでしょう。

薬を承認するための治験では、片頭痛の発生回数を大幅に抑える効果が認められ、2021年からは健康保険が適用されるようになりました。薬は作用によって大きく2種類に分けることができます。

○エムガルティ（ガルカネズマブ）、アジョビ（フレマネズマブ）

CGRPが放出されても、その生理活性を無力化することで炎症、痛みが起こらないようにする働きがあります。どんなにCGRPが放出されても薬が効いている間は片頭痛が起こりにくいと言えます。

およそ1か月に1回の皮下注射で1か月の間効果が持続します。注射の形状には「オートインジェクター」と「シリンジ」の2種類があり、前者は自己注射用です。

自己注射用のオートインジェクターは、忙しかったり、医療機関が遠方でなかなか通院できない患者さんに向いています。オートインジェクターはディスポーザブルタイプ（使い捨て）の注射です。皮膚にしっかり押し当てると、薬液が注入されます。注射が終了し、本体を皮膚から離すと針が自動的に安全カバーに格納されるようになっています。

○アイモビーグ（エレヌマブ）

CGRPが放出されると、頭蓋内で硬膜近傍の脳血管にあるCGRPの受容体がこれをキャッチし、炎症や痛みを引き起こすことがわかっています。アイモビーグはあらかじめこの受容体に結合し、蓋をする形でCGRPが結合することを阻害します。

およそ1か月に1回の皮下注射で、1か月効果があります。こちらもオートインジェクターによる自己注射が可能です。

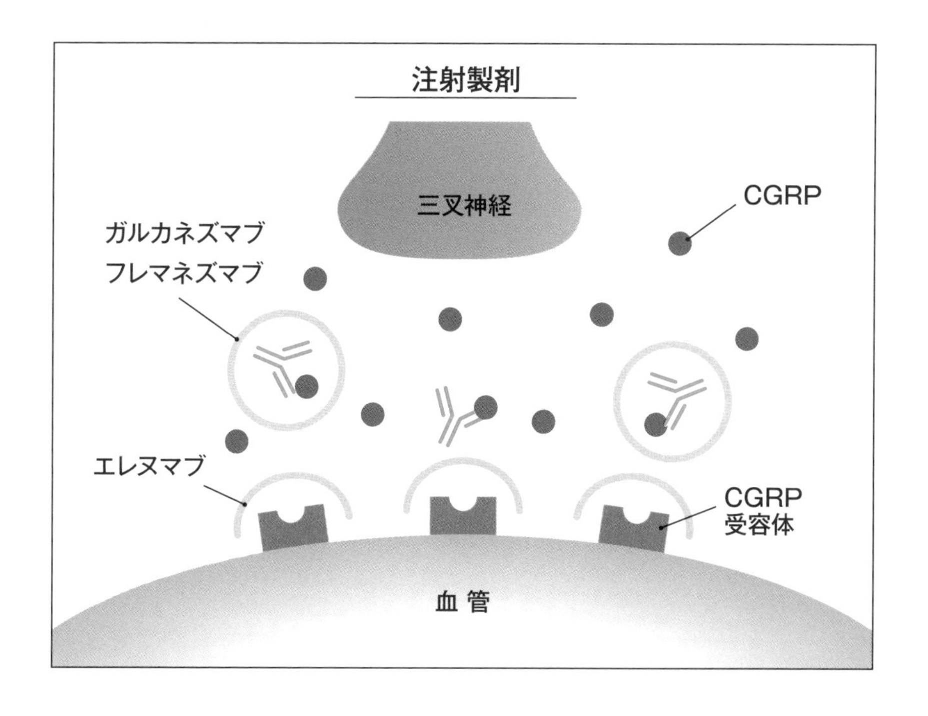

できる医療機関は限定されている

抗CGRP関連製剤では副作用として、注射した箇所の痛みや腫れ、かゆみ等が起こることがあります。また、まれではありますが、重大な副作用としてアナフィラキシーが起こる可能性があるため、厚生労働省の「抗CGRP抗体製剤に係わる最適使用推進ガイドライン」を守って使用しなければなりません。このため、現在、使える医療機関は、指定された学会の専門資格を有する医師が常在する施設に限定されています。なお、以下の三つの要件を満たす患者さんを対象に使うことができます。

・片頭痛患者さんであること（画像診断で頭蓋内異常がないことの確認も含む）。
・片頭痛がひと月に4回以上発現していること。
・片頭痛発作予防薬（従来の薬）を使用しても効果が十分に得られないこと。

発作間欠期（痛みがない時）にも苦痛がある

片頭痛は患者さんにとって頭痛発作が非常につらく、生活支障度を高める疾患ですが、発作間欠期（頭痛がない正常な時）は全く支障がないかといえば決してそんなことはありません。

頭痛が起こることにより、友だちに迷惑をかけてしまわないか、旅先で頭痛が出てしまったらどうしようかなど、片頭痛の発作のために予定を組むことを躊躇してしまったり、人との約束ができない患者さんはたくさんいます。日常生活においても頭痛のことを常に意識してしまうために、好きな食べ物が食べられなかったり、柔軟剤の選び方が難しかったり、飲み会に参加しづらかったりと、生活に影響を与えています。

このように、いつどんな時でも頭痛のことを考えてしまい、誰にもわかってもらえない目に見えない苦痛が日常茶飯となっているのです。もしかすると、こちらのほうが頭痛発作よりもつらいかもしれません。まさに孤独との戦いの日々なのです。頭痛外来で重要なことは、これら片頭痛の間欠期の苦痛を除去することにあります。

片頭痛の生活療法が重要な理由

片頭痛の患者さんは、「疲れた時に痛みが起こる」「天気の変化がつらい」「ある種の食べ物で起こる」など、日常生活に発作の引き金があることが特徴的です。

まだ明確ではないものの、片頭痛の患者さんの脳は、さまざまな環境の変化や刺激に敏感になっており、それが発作の引き金になっていることがわかっています。大地震の前には頭痛があるなど、非常に敏感です。また、赤ワインの成分で片頭痛発作が起こる人の場合、ワインをやめることで発作の回数が大きく減ります。

このように、片頭痛が起こりやすい要因を知り、生活を整えることは薬を使用することと同じくらい大事なことです。生活療法に取り組むと薬の効きも良くなり、薬の量を減らせる場合もあるのです。なお、生活療法は薬物治療のスタートと同時に行っていきます。片頭痛治療のゴールにたどりつき、休薬できた後の移行期（片頭痛のない時期を維持する時期）にもスムーズに行きやすいのです。

実践！　片頭痛の生活療法

片頭痛が起こる際、血管からセロトニンが大量放出されるのですが、これを引き起こすきっかけとして、睡眠や天候の変化、ストレスから解放された時（ストレスや疲れも含む）、月経周期、空腹などがあります。片頭痛の誘発因子を避けることが、片頭痛の発作予防につながります。このほか、ストレス対策や運動など、片頭痛の予防につながる生活のコツが明らかになってきています。

無理のない範囲でぜひ、取り組んでみてください。

【ストレス、精神的緊張、疲れに注意】

片頭痛はストレスや精神的緊張、疲労で悪化します。特にストレスから解放された週末などには発作が出やすくなります。ストレスの軽減は簡単ではありません。まずはできる範囲でストレスを減らすよう、努めていただければと思います。

【適度な運動】

適度な運動はストレスを解消し、片頭痛を起こしにくくする効果が期待できます。

【睡眠時間の確保】

片頭痛の人はストレスや疲労を避けるために十分な睡眠が必要です。ただし、睡眠が長すぎても発作が起こりやすくなるので、6〜9時間を目安に、自分に合った睡眠時間を習慣づけましょう。

片頭痛の生活療法

ストレスの軽減

瞑想、腹式呼吸、
湯船につかって首周りをほぐす、
友人や家族との時間を持つ

適度な運動

ウォーキング、ジョギング、
ヨガや太極拳

睡眠時間の確保

6～9時間を目安に習慣化する

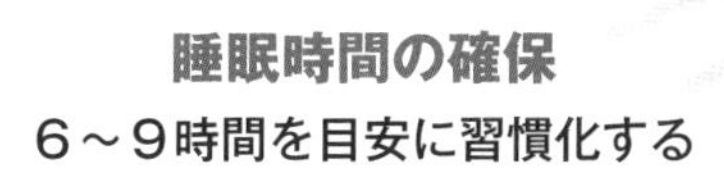

光や音、匂いなどの刺激を避ける

サングラスがオススメ。
スマホやパソコンはできれば控えめに

高湿度、高温、気圧の変化に注意

特に台風などの低気圧の
前日に注意

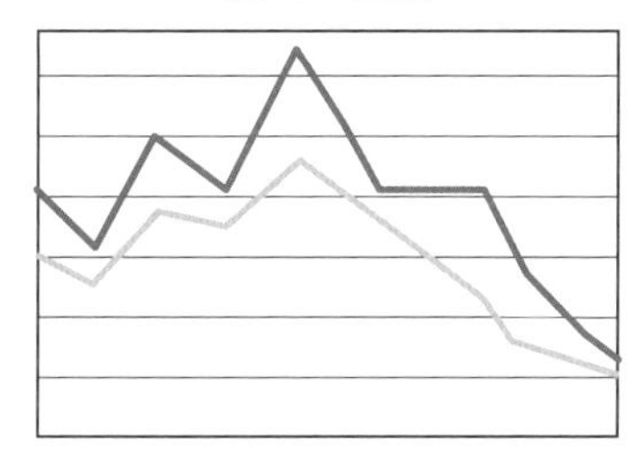

【高湿度、高温、気圧の変化に注意】

片頭痛の人は温度や気圧の変化に敏感です。気象の変化が血管を拡張させ、片頭痛を起こしやすくするためで、台風の到来が気象予報士並みにわかる人もいるほどです。特に低気圧の前日は頭痛が高頻度に起きます。むしろ雨が降ってしまえば、気圧による頭痛は減りますが、その後、湿度が上がってくると再び頭痛が増えます。このため、部屋の中では快適な湿度・温度を設定、維持することをアドバイスしています。

【光や音、匂いなどの刺激を避ける】

直射日光やライトなどの強い光や騒音、人混みや乗り物などの換気の悪い場所、強い匂いは片頭痛の引き金になるので、できるだけ避けましょう。光対策としてはサングラスをお勧めしています。

また、スマートフォンやパソコンなどから放たれるブルーライトを予防することで、片頭痛の発生を抑制できます。頭痛にとって最も優しい色は緑色、最も誘発される色は青色（ブルーライトの波長）なのです。この本が緑色を基調としているのもそれが理由です。匂いで誘発される頭痛は片頭痛に特有といえ、診断の手がかりとなります。

【月経周期】

女性ホルモンと片頭痛には深い関係があることがわかっており、月経の始まる数日前や月経中に片頭痛を訴える患者さんは多いです。月経開始日を1日目とした場合、マイナス2日（開始2日前）からプラス2日（開始3日目）までの5日間にだけ片頭痛が起こる患者さんがいます。これを「純粋月経片頭痛」と呼びます。また、排卵期や月経に関連した周期の頭痛は「月経関連片頭痛」と呼びます。

これを踏まえて、月経が近づいたら、睡眠を十分にとる、誘発されやすい食べ物を避けるなど、より片頭痛を起こさない生活を心がけることが大事です。

【アレルギー性鼻炎、気管支喘息、副鼻腔炎】

鼻の病気や気管支喘息があると片頭痛が起こりやすいことがわかっています。血中の酸素濃度が低下し、それを補おうと代償的に血管が拡張しやすくなるためとされています。このような病気がある場合は、片頭痛と並行して治療に取り組みましょう。

片頭痛を予防する食生活

空腹による低血糖は血管の収縮や拡張に影響を与えることがわかっています。ダイエットなどで朝食を抜くことは片頭痛の引き金になります。朝が弱い人はホットミルクや甘酒などをとることをお勧めしています。

また片頭痛を起こしにくくする食品として、以下が知られています。これらは3食をバランスよく取っていれば自然に摂取できます。

●ビタミン B_2、B_6

片頭痛の患者さんでは血中ビタミン B_2 の濃度低下が報告されており、その予防効果が検討されています。ビタミン B_2 を3か月投与した片頭痛患者さん群と投与しなかった患者さん群を比較した研究では、ビタミン B_2 投与群で優位に片頭痛発作頻度および頭痛日数が減少したことが報告されています。

ビタミンB_6には、セロトニンをコントロールする作用があり、必須アミノ酸のトリプトファンの、脳内への取り込みを促す働きがあります。トリプトファンはセロトニンの前駆体であり、直接セロトニンを取り込めないため、セロトニンの材料であるトリプトファンを増やす必要があります。

豚肉、うなぎ、バナナなどに含まれています。

●マグネシウム

片頭痛の患者さんでは血清マグネシウムや脳内のマグネシウム濃度が低下していることがわかっています。片頭痛の予防にマグネシウムを投与する大規模研究も複数あり、多くで有効性を示す結果が得られています。マグネシウムには血管の拡張を予防する作用があるため効果があると言われています。

ひじき、ごま、アーモンドなどに含まれています。

●カフェイン

カフェインには血管収縮の効果があることが知られています。つまり、コーヒーは、血管の拡張によって起こる片頭痛には良い方向に働く飲み物といえます。カフェイン量で200㎎/日以内の摂取であれば片頭痛の予防になります。市販の頭痛薬が頭痛に効果的なのは、多くの市販薬にカフェインが少量含有されていることからも、納得できます。

なお、「キーコーヒー」のウェブサイトによれば、コーヒー100ml あたりに含まれるカフェインの量は約60㎎です。飲みすぎには注意しましょう。

●トリプトファン

前述のように、セロトニンをコントロールする働きがあります。トリプトファンは、お寿司や甘酒などにも多く含まれますが、毎日摂取するのは困難でしょう。一方でバナナは手軽に簡単にとれるトリプトファンです。毎日バナナを食べることでトリプトファンを増やし、セロトニンへと変化させます。バナナは万能な頭痛予防食品です。

●タンパク質

筋肉の原料となるタンパク質には、ビタミンやマグネシウムなどあらゆる栄養素が含まれています。栄養バランスを整えるためにも積極的にとりたい栄養素です。

タンパク質には塩分を体外に排出する働きもあります。

肉、魚、大豆などに多く含まれています。

●カルシウム

脳の神経を落ち着かせる働きがあります。牛乳に多く含まれますが、牛乳はトリプトファンも多く含んでいます。

片頭痛発作を起こしやすい食品

次に紹介する成分には血管拡張作用があります。これらが多く含まれる食べ物は片頭痛を引き起こしやすくするので、避けたほうがいいでしょう。ただし、どの成分で片頭痛が起こるかは人によって違います。自分はどの成分、食品がだめなのかといったことを知ることが大事です。天気や月経などは回避できない誘発因子ですが、食べ物は避けることができます。

頭痛の誘発因子を知るための方法として、食べた食品や頭痛の状況を記録する頭痛ダイアリー(106ページ)をお勧めしています。

●フェニルエチルアミン、ヒスタミン

フェニルエチルアミンは、赤ワインに多く含まれている血管拡張作用のある成分で有名です。赤ワインは飲み頃温度が14～16度とされ、より体温に近い温度で摂取することが多いため、胃腸からの吸収も早く、血管拡張が急速に進みます。

アルコールに多く含まれるヒスタミンにも、血管拡張作用があります。片頭痛のある人はアルコール全般を控えめにしたほうがいいでしょう。

●グルタミン酸ナトリウム

グルタミン酸ナトリウムは、血管を収縮させる働きがあり、とりすぎると、その反動で（摂取をしないことで、逆に血管が拡張する）片頭痛が起こると考えられています。多く含まれる代表的な食品として、中華料理などに使われている旨味調味料があります。このほか昆布、カップ麺、スナック菓子、チーズ、ドライトマトなどが知られています。

●亜硫酸ナトリウム

ホットドック、ハム、サラミ、ソーセージなどに多く含まれていますが、片頭痛の患者さんには発作の引き金になる人が多いです。

●ポリフェノール

健康にいいと言われていますが、片頭痛の人は控えめがいいでしょう。赤ワインやチョコレートに多く含まれています。

●チラミン

ワイン、ビール、そら豆、チョコレート、鶏や牛のレバー、柑橘系（みかん、レモンなど）、くん製品、発酵食品

●アスパルテーム

アスパルテームはローカロリーの甘味料として、ノンカロリーシュガーなどに使われていますが、片頭痛の人は避けたほうがいいで

しょう。

KARTE 11

薬の調整と生活療法で良くなった患者さん

ここで薬の調整と生活療法で片頭痛が良くなった患者さんのケースを紹介しましょう。Bさん（女性、20歳）は高校生の頃から頭痛持ち。近くのクリニックでは「片頭痛でしょう」と言われていました。ちなみにBさんの母親も片頭痛持ちだそうです。

Bさんは頭痛が出ると市販の鎮痛薬で対処するようになりましたが、大学生になってからは発作の頻度が増えてきたため、それに伴って鎮痛薬を飲む頻度も増えてしまいました。

最近は鎮痛薬でも痛みが取れず、寝込んだり吐いたりする頻度が増え、大学を休まなければならないような、生活に支障をきたす頭痛が週に1回はあるため、このままではいけないと来院されたのです。次は初診時の会話の一部です。

患者さん「頭痛の回数が増えて鎮痛薬を飲む量が増えて困っています。しかも、鎮痛薬が効かないひどい頭痛も、その月の天気などによって異なるのですが、だいたい週に1回はあり、生活に支障をきたしてしまいます。いつ頭痛があるかわからないので友だちとの約束もできないです」

金中「どんな頭痛ですか？」

患者さん「ひどい時は目の前にモザイクが出てきて、その後、こめかみから目の奥にかけてガンガンします。その時は必ず嘔吐します。目の症状がない時は嘔吐まではいきませんが、気持ちは悪くなるので横になって寝ています。母も同じだそうで、今も頭痛で寝込むことがあります」
金中「前兆のある片頭痛ですね。お母さんが片頭痛の場合、お子さんに約50％の割合で遺伝します。Ｂさんの場合、生活支障度が高い頭痛が起こる日数が多いので、片頭痛の予防を開始するといいですね」
患者さん「予防できるのですか？」
金中「できます。お薬を使った予防と使わない予防があります。両方併用して行っていきましょう」

こうしてＢさんは、ロメリジン（商品名：ミグシス）とバルプロ酸ナトリウム（商品名：デパケン）による片頭痛の予防治療を開始しました。生活療法としては、特に温度差や気圧の変化に敏感だったので、部屋の温度設定に気をつけていただきました。雨の日には除湿もしてもらいました。

食事では片頭痛を予防する働きが期待できる栄養素が含まれるバナナやアーモンドなどを含め、バランスのよい食事を1日3回、きちんと食べるようにしました。こうした結果、8週後には発作が減り、月に12回から6回程度に。6か月後には月に6回から2回程度になりました。

片頭痛に対する「認知行動療法」

片頭痛の治療では薬だけでは治療が難しい患者さんに対し、近年、心理療法の一種である「認知行動療法」が注目されています。認知行動療法は、ものの受け取り方や考え方となるその人の「認知」に働きかけて気持ちを楽にする療法です。認知行動療法はうつ病や不安障害などの精神疾患や過敏性腸症候群（IBS）、パーキンソン病に対して広く行われています。

一次性頭痛に対する認知行動療法についても、効果的なやり方が登場し、「頭痛の診療ガイドライン2021」ではグレードＡとして強く推奨されています。海外では片頭痛に対する多くの有用性が報告され、薬と併用することで効果があがることも明らかです。

特に片頭痛ではリラクセーション療法と筋電図や脳波などを用いたバイオフィードバック療法を組み合わせることで、内服薬と同等の予防効果が得られているという報告もあります。

COLUMN

妊娠と片頭痛治療

妊娠中は一般的に片頭痛発作が軽減することが明らかです。特に前兆を伴わない片頭痛は妊娠中期から後期では発作がほとんどなくなります。片頭痛に悩んできた患者さんにとっては、「なんて素晴らしい時間だろう」と喜びを感じられる時間です。

ただ、一部の患者さんでは変わらず片頭痛が持続しますし、妊娠初期は片頭痛発作がまだまだ認められる時期です。この時期に薬を使用することは大丈夫なのか、妊娠中の患者さんにとって、気になるところでしょう。

妊娠初期から4～12週は、胎児の器官形成期であるため、薬の使用はできるだけ控えますが、片頭痛が重い場合は安全に投与できる薬として非ステロイド系消炎鎮痛薬ではなく、アセトアミノフェンが勧められています。

予防薬は投与しないほうがいいのですが、必要な場合にはβ遮断薬や少量のアミノトリプチリンであれば妊娠中の投与が許可されています。そのほか、抗CGRP関連製剤は安全に使用できるので、妊娠中でも患者さんと十分に話し合った上で、必要に応じて使用することがあります。

出産後は1週間から1か月以内に片頭痛が再燃することが多いので、早めに受診をしていつもの薬の処方をしてもらうといいでしょう。特に赤ちゃんが小さいうちはお母さんの寝不足が引き金となって頭痛の頻度が上がります。授乳中でも服用できる薬はあります。
ただ、ある程度使用制限があるので、ご自身に合った使用できる薬剤を選択することが大事になります。安心して薬を使用するためにも、主治医とよく相談をしてください。

COLUMN

年をとると片頭痛は起こりにくくなる

片頭痛に悩む患者さんにあまり知られていないこととして、「年をとると片頭痛が軽くなる、あるいはなくなる」という事実があります。これはなぜでしょうか。

片頭痛の原因として考えられている「三叉神経血管説」では、血管の収縮→拡張が発作の引き金となることはすでにお話ししましたが、実はこのように血管が開いたり、閉じたりするのは、血管がしなやかだからです。ご存じのように、加齢と共に血管は老いていき、多かれ少なかれ動脈硬化が起こってきます。こうして血管が硬くなると、何かのきっかけで片頭痛の引き金となるセロトニンが血管内に放出されても、硬い血管では収縮→拡張が起こりにくくなるため、片頭痛もまた起こりにくくなるのです。

また、女性の場合は、ホルモンの影響から月経前後で片頭痛が起こりやすい人が多いのですが、このような人たちは閉経すると片頭痛が減ってきます。

　このように、今ある片頭痛が一生続くわけではないことを知ると、少し気が楽になるのではないでしょうか。

第 4 章

気をつけておきたい「子どもの頭痛」

子どもにも頭痛があるのか?

「子どもに頭痛ってあるのでしょうか？」とよく患者さんの親御さんから聞かれます。実は大人ほどではありませんが、子どもの頭痛は意外と多いのです。

小さいお子さんですと5歳くらいから始まっていますが、言葉でなかなか表現ができないため、頭痛があっても伝えられていない場合もあります。

子どもが大人と決定的に違うのは、成長と発達の段階にあるということです。特に体の成長と心の成長にギャップがあることを認識するのも、治療をする上で重要なポイントです。

また、子どもの頭痛には、片頭痛や緊張型頭痛と共に、二次性頭痛として「起立性調節障害に伴う頭痛」があります。

起立性調節障害に伴う頭痛は非常に複雑で、「起立性調節障害によって起こる頭痛（二次性頭痛）」と「起立性調節障害に共存する頭痛（一次性頭痛、二次性頭痛）」の2タイプがあります。どちらかによっても治療法やアプローチの方法が異なります。起立性調節障害は心と体の両者が関与しており、これをひもとくことに時間を要する疾患といえるのです。

また、子どもの頭痛はしばしば不登校、さらにはひきこもりへと発展します。つらい頭痛が連日続く「慢性連日性頭痛」に移行すると、起床時から頭痛を訴えるようになります。社会不安障害、神経発達症（アスペルガー、自閉症、うつ病、ADHD など）または心理社会的要因が関っている頭痛です。

心理的要因が関与する頭痛は頭痛が主な症状でありながら、痛みを診ているだけでは解決しません。鎮痛薬が効かない頭痛の代表でもあります。

頭痛が前面に出るために患者さんはまず、頭痛外来を受診しますが、実際には頭痛は本人の困り事の入り口にすぎず、本当の困り事、解決すべきことはそのさらに奥にあることも多いのです。

頭痛を持つ子どもの親御さんも非常に大変な思いをしておられます。心身ともに苦労されていることが外来でお話ししていてよくわかります。「何で自分の子どもが不登校になってしまうんだろう」と時には自分を責めてしまいます。そうした親の表情を子どもは感じ取ってしまい、ますます子どものストレスになるのです。

頭痛外来では親御さんの苦労へ寄り添う姿勢も必要と感じます。少しでも子どもを明るい未来へと導けるよう、そしてその家族に笑顔が戻るような、そんな外来を心がけています。

子どもの頭痛は思春期に増える

子どもの頭痛はウイルス感染による髄膜炎や脳腫瘍、副鼻腔炎による頭痛などを除いては、そのほとんどが一次性頭痛で、大人と同様に片頭痛と緊張型頭痛が多いです。二次性頭痛としては起立性調節障害が原因のものが多いですが、こちらは画像検査ではわかりません。

年齢と共に頭痛を訴える子どもは増え、思春期に急増します。年齢によっては大人と同等かそれを超える数が認められるという事実があります。当院を受診する小児頭痛の患者さんの多くは、中1から高1までの4学年が圧倒的に多いことも事実です。
　また、子どもの場合、学校へ行くことを体が拒否する、その反応の一つとして頭痛が起こることもあります。
　このような頭痛は鎮痛薬が効きにくいケースも多いのです。

　鎮痛薬が効きにくい子どもの頭痛の中で、特に筆者が問題視しているのが「慢性連日性頭痛」というタイプです。毎日のように強い痛みが起こる頭痛で、診断基準は1日に4時間以上、1か月に15日以上、3か月以上持続するものですが、このタイプの頭痛は不登校や不登校気味のお子さんが多いことがわかっています。
　もう少し詳しく特徴を述べると、朝に頭痛が多いのですが、昼すぎから夕方にかけては消失し、元気になります。後頭部が痛むと訴えることが多いです。

　一方、子どもの片頭痛は痛みが夕方から夜にかけて多いことや前頭部が痛くなりやすいことなどが特徴ですから、不登校に伴う「慢性連日性頭痛」とは様子が異なります。
　また、頭痛発作が朝に出た場合、片頭痛であれば痛みが消えた後に遅れて登校でき、不登校にならないことも鑑別ポイントです。不登校はそのまま続くとひきこもりになってしまうケースもあり、早急な改善策を要します。

体と心のギャップにより生じる頭痛

　思春期の子どもは体が急速に成長する一方で、心や自律神経は未熟です。このためさまざまなストレスに対して、体が反応をしやすく、そのあらわれの一つが頭痛だとされています。

頭と体がアンバランスな状態です。筑波学園病院の藤田光江先生の言葉を借りると、「思春期の子どもの体は立派に羽ばたく蝶のようですが、心の中はまだまだ蛹(さなぎ)状態」です。このギャップにより生じる頭痛と考えると、理解がしやすいです。

また、子どもは頭痛があってもその苦しみをなかなか表現できません。このため、おかしいと思ったら親御さんなどの保護者が声をかけ、治療やサポートにつなげてあげることが大事です。

次項からは実際の患者さんのケースから、子どもの頭痛のタイプとそれぞれの治療について紹介していきたいと思います。

親が知っておきたい子どもの頭痛の特徴

- **成長・発達過程にある。**
- **病状を言葉で表現しにくい。**
- **治療では薬物療法以外を積極的に取り入れる。**

KARTE 12

子どもの片頭痛には大人と違う特徴がある

まずは大人と同様、頭痛外来を多く受診する子どもの頭痛として、典型的な片頭痛についてです。

子どもの片頭痛は小学生では3.5%、中学生では4.8〜5.0%、高校生では15.6%と言われています。高校生では大人より多くなっています。

片頭痛は家族内での発症が多いのですが、これは片頭痛が遺伝しやすいためです。母親が片頭痛の場合、子ども（娘）は30〜70％の確率で片頭痛を起こすと言われています。女の子の場合、初潮が始まると女性ホルモンの影響で、より片頭痛になりやすいため、親御さんが片頭痛持ちの場合は注意してあげるといいでしょう。

初潮が始まる頃までは男子の方が片頭痛の有病率は高いですが、初潮の始まりと共に次第に女子の有病率が上がり、男子よりも多くなります。

片頭痛の子どもは、しばしば高確率で車酔いを訴えます。親が片頭痛を持っていて、子どもの車酔いが始まった時には片頭痛の始まりの可能性があります。また、「腹痛性片頭痛」という頭痛はありませんが、腹痛が主な症状という少々、変わった片頭痛です。風邪でもないのに腹痛が生じ、小児科で診察をしても原因がわからず、家に帰る頃には腹痛が改善するといった不思議な発作です。

Hさん（15歳中学生）は、小学校高学年の頃から頭痛がありました。最近、頭痛の頻度が増えてきたということでお母さんに連れられて来院しました。

金中「15歳というと、高校1年生かな？」
患者さん「いえ。中学3年生です」
金中「頭痛が最近多いのかな？」
患者さんの母親「そうです。今まであんまり頭痛は感じなかったのですが、1年前から頭痛が増えてきました」
金中「どのくらいの頻度で痛くなるの？」
患者さん「週に2回くらいは痛いです」
金中「どんな風に痛むのかな？」

患者さん「右側頭部からおでこのあたりが締めつけられるように痛みます」
金中「どのくらいの時間続きますか？」
患者さん「2〜3時間で治ります。でも、夕方痛くなることが多くて、勉強に集中できなくて困っています」
金中「どんな日に痛くなりますか？」
患者さん「寝すぎたり、雨が降ったりした日が多いです。タブレットを見すぎて目が疲れると痛いです」
金中「学校は休んじゃう感じですか？」
患者さん「たまに痛いと遅刻してしまいます」
金中「頑張ってますね。えらいえらい」
患者さん「学校は楽しいので休みたくないです」
金中「そういえば、車酔いしますか？」
患者さん「はい。めちゃくちゃ車酔いします。どうしてですか？」

片頭痛のメカニズムは大人も子どもも同じと考えられており、診断基準は大人の場合とほとんど同じです。キラキラした光やギザギザの光が視界にあらわれる「閃輝暗点（せんき）」など、「前兆」を伴うこともあります。

しかし、症状は大人と違って子どもに特徴的なものがあります。朝よりも夕方から夜にかけて多かったり、頭痛はズキンズキンという拍動性よりも、左右両側に起こる「両側性」で、特に前頭部から側頭部が締め付けられるように痛くなるケースが多いです。

また、頭痛だけでなく、吐き気や嘔吐、下痢などお腹の症状が強くあらわれるケースが多いことも特徴です。なお、頭痛の症状があまり目立たないものを「腹部片頭痛」と言います。

また、片頭痛のお子さんは車酔いをすることがとても多いのです。頭痛の発作時間に関しては1時間程度と大人より短いこともしばしばあります。診断基準にもこの頭痛期の発作時間だけは大人が4時間から72時間であるのに対し、子どもの場合は1時間でも診断を付けてよい、としています。

片頭痛の要因の一つは、血管から何らかのきっかけで大量のセロトニンが放出されることですが、子どもの場合、特にこの要素が強く、お腹の症状が強く出るのはこのためと考えられています。

頭痛は平日の決まった時間、特に夕方に起こりやすいという特徴もあります。大人は仕事をしていることにより、1週間を生活サイクルとしているのに対し、子どもは1日を完結する生活サイクルとしています。そのため気の緩む夕方に頭痛が出やすくなるのです。

一方で、発作は大人に比べて短時間で終わることが多く、発作が終わるとけろっとしていることが多いのです。このため、毎日片頭痛があるという子どもでも、「学校には行ける」（不登校にはならな

子どもの片頭痛の特徴

- **頭痛は夕方〜夜に多い。**
- **いきなり始まり、短時間で終わる**
（ほとんどは4時間以内。1〜2時間で治ることも多い）。
- **頭の痛みよりも吐き気や嘔吐、下痢などお腹の症状が強くあらわれる。**
- **ズキンズキンではなく、頭を締めつけられることも多い。**
- **痛みは前頭部に多い。**
- **頭痛は平日に多い**（大人は週末）。
- **春に多い**（血小板からのセロトニンの放出が多くなるため）。

い）という点が、重要な診断ポイントになります。

子どもの片頭痛の治療は非薬物療法が中心

子どもの片頭痛の治療は非薬物療法が基本です。

「頭痛が起きやすい環境を避ける」「1日3食規則正しく食べる」「寝不足、寝すぎを避ける」「血管を拡張させる（片頭痛の誘因となる）食べ物を避ける」といったことに、まずは取り組んでもらいます。

また、学校側にも働きかけます。片頭痛であることを学級担任や養護教員に伝える必要があります。日の光が入りやすい窓側の席よりも真ん中あるいは通路側の席にしてもらうといいでしょう。

空腹の時には片頭痛が誘発されやすいので、氷砂糖など手軽に血糖を上げられるものを持たせ、摂取できるようにしておきます。

そして、頭痛が出ても薬を内服したり保健室で休んだりできるという環境をつくり、安心感を持たせることが必要です。これらがうまくできるよう、親御さんや学校と連携をとるのが私たち、頭痛外来の役目でもあります。

片頭痛になりやすい体質は大人になっても続くので、子どものうちから片頭痛の起こりにくい生活習慣を身につけてもらうことは、とても大事です。鎮痛薬を乱用してしまうために起こるMOHの予防にも役立つことなのです。

一方で、子どもの片頭痛に対しては、ある種の栄養補助食品が予防に有効です。ガイドラインでは、「リボフラビン（水溶性ビタミンVitB2)」「コエンザイムQ10（補酵素)」「マグネシウム」「メラトニン」の有効性が認められており、これらの補助食品も組み合わせていきます。

これらの非薬物療法でも片頭痛による生活支障度が改善しない場合は、大人の予防薬に準じた少量の内服を使用します。生活支障度が高いことによる日常生活への影響やMOHへの移行を阻止する上で、薬物療法が非薬物療法に勝ると判断した場合には、短期間集中的に薬（内服薬）を使います。

第一選択となるのは非ステロイド系消炎鎮痛薬のイブプロフェンです。安全性が高く、副作用が少ない薬です。この薬が効かない時はアセトアミノフェンを検討します。

このほか、吐き気の強い患者さんには、ドンペリドンやメトクロプラミドなどの制吐薬を使います。基本の薬で痛みが抑えられない強い片頭痛に対しては、トリプタン製剤を使うことができます。

年齢により使用する量が大人と異なりますが、使用可能なトリプタン製剤があります。鎮痛薬に固執してしまうことで、かえってMOHを招いてしまう可能性があると思われますので、主治医の指示に従って、トリプタン製剤を適切に使うことがMOHを回避する早道でもあるのです。

以下に、子どもの片頭痛対策として、非薬物療法を挙げます。

・頭痛が起きやすい環境を避ける

人混み、乗り物など換気の悪いところ。直射日光や騒音、においの強いところ。テレビゲーム、スマートフォン（ブルーライトカットを推奨）。

・1日3食規則正しく食べる

空腹が続くと脳の血管が拡張しやすい。朝食べないと昼、頭痛が起こりやすい。

・睡眠リズム

寝不足は厳禁。逆に寝すぎも頭痛を誘発する。

・血管拡張を引き起こす食べ物を避ける

チョコレート、チーズ、オリーブオイル、ハム・ソーセージ、オレンジ、グレープフルーツなど。

子どもの片頭痛の栄養補助療法は、先ほども述べたように、「リボフラビン（水溶性ビタミンVitB2）」「コエンザイムQ10（補酵素）」「マグネシウム」「メラトニン」などがあります。

子どもの片頭痛の薬物治療としては、以下の薬を使います。

・鎮痛薬

イブプロフェン、アセトアミノフェン

・制吐薬

ドンペリドン、メトクロプラミド

・予防薬

β遮断薬：プロプラノロール、抗てんかん薬：バルプロ酸、トピラマート、抗うつ薬：アミトリプチリン

漢方薬（呉茱萸湯、五苓散）

※このほか、小児適応外使用ができる薬が複数あります。

KARTE 13

薬が効かない…起立性調節障害との共存

片頭痛を治療してもなかなか良くならない場合は、他の病気が共存していることがあります。思春期に多いものとしては起立性調節障害です。起立性調節障害は日本の小学生の5%、中学生の約10%

にみられるという報告がありますが、思春期に多いのは頭痛と同じく、自律神経が未発達であることが影響していると言われています。まずは実際のケースから紹介しましょう。

Ｍさん（14歳、女子）は半年ほど前から、吐き気を伴う頭痛がありました。二次性頭痛を疑われ、近くの脳神経外科医院で頭部ＣＴ検査を受けましたが異常はありません。診断の結果は片頭痛でした。痛みが強いために、一般的な鎮痛薬からトリプタン製剤に変えたのですが、あまり効きませんでした。やがて朝の頭痛が多くなり、学校を休むようになったため、来院されました。

金中「片頭痛と言われたっていうことだけど、出されたお薬は効きましたか？」
患者さん「効く時と効かない時があります」
金中「どんな時に痛みが強く出ますか？」
患者さん「朝起きると頭痛がします。そのため朝起きるのが苦手です。自分で起きることができず、お母さんに起こされています」
金中「朝以外も痛いの？」
患者さん「時々、夕方になって痛くなることがあります」
金中「それは朝と同じ感じの頭痛？」
患者さん「夕方の頭痛は病院でもらった薬が効きます（トリプタン製剤のこと）」
金中「朝が一番つらいんだね？」
患者さん「はい。朝は起きられないし、ドキドキするし、吐き気もあります」
金中「夜はちゃんと寝られていますか？」
患者さん「寝てるんですが、寝るまでに時間がかかります。寝つきが悪いです」
金中「片頭痛はありそうだけど、きっと起立性調節障害もあるね。小児科の先生と連携して詳しく調べていきましょう」

Mさんの話からもわかるように、起立性調節障害の症状は「宵っ張りの朝寝坊」が特徴です。それだけならただ「朝の弱い人」ですが、これに加えて頭痛やめまい、立ちくらみをはじめとするさまざまな不調が起こるので、とてもつらいのです。

人の体は仰向けの体勢から起き上がると、重力により血液が下半身に移動し、心臓へ戻る血液量が減少して、血圧が下がります。

このような時、健康な人では自律神経系の一つである交感神経が作用して血管の抵抗を上げ、血圧を維持するのですが、起立性調節障害があると、自律神経が正常に働かず血管の抵抗が下がっている人の場合、血圧が維持できなくなり、その結果、体や脳への血流が低下し、このような症状が起こります。校長先生の長い話を聞いている時に倒れてしまうのもこのためです。

一方、起立性調節障害の頭痛というのは特に頭痛の国際分類にはなく、また、この疾患概念は非常にわかりにくく、私たち専門医もしばしば混乱します。

ひと昔前にはこうした頭痛を訴える子どもを「怠け病だ」としていたものが、実はそうではなかったという救済的な疾患概念ともとれます。また、起立性調節障害は非常に奥が深い疾病概念で、朝起きられない背景には「起きたくない」「起きなくてもいい」という子どもながらの心の葛藤である心理社会的要素が関与しており、それが不登校につながっていることがあります。

つまり、起立性調節障害には、身体疾患でありながら心理社会的要素が未解決であるがために頭痛などが起こり、体調を崩しやすいという心身症的な側面があります。

また、これらは睡眠不足と密接に関係する疾患であることも忘れてはなりません。起立性調節障害やその症状である頭痛は、子どもにとっての身体表現の一つであり、子どもは「頭痛がする」と言いたいわけではないのです。

つまり、「朝起きることができない子ども＝起立性調節障害」という単純な病気ではない、ということです。

頭痛は子どもにとって苦痛の入り口であり、そこに入るとその奥には本人の性格面や発達特性、不安や抑うつといった気分の側面、それに伴う行動（不登校やスマホ依存）などが密接に負のサイクルを形成している場合があります。こうした心理社会的要因などが考えられる場合、一つひとつひもときながら解決していく必要があるのです。

KARTE 14

薬が効かない…スマホ、タブレットの使用過多

もともとは時々起こる程度の頭痛だったものが、心理的ストレスの影響により、重く毎日のように起こる「慢性連日性頭痛」になることがあります。鎮痛薬が効きにくく、学校を休む原因になるため、早目に医療機関を受診することが大事です。

Y君（15歳、男子）が頭痛に悩まされるようになったのは、中学3年生になってからです。最初は時々起こる程度で、市販の鎮痛

薬を服用すれば良くなりました。しかし、次第に発作の回数が増え、症状も強くなり、軽い頭重感だったものが、おでこからこめかみにかけての強い締めつけ感に変わったことから、不安を感じて来院されました。

金中「どのくらいの頻度で頭痛がするのかな？」
患者さん「月の半分は頭痛がしています。頭を輪っか状に締め付けられます」
金中「いつ頃から頭痛があるの？　小学生の頃もあったかな？」
患者さん「今まではほとんど頭痛なんてなかったんです。部活をやめて受験勉強を始めてから頭痛が出てきました」
金中「勉強いっぱいやってるんだね？」
患者さん「はい。週に6日は塾に行ってます」
金中「それはすごいね。肩こっちゃうよね。タブレット端末とかも使うの？」
患者さん「はい。授業でタブレットを使ったりします」
金中「スマホとかも持ってる？」
患者さん「はい持ってます。勉強の息抜きにゲームしてます」
金中「(問診表を見て）結構スマホを見る時間が長いんだね？ ちゃんと夜は寝てますか？」
患者さん「1時くらいに毎日寝ています」
金中「そんな遅くまで勉強してるの！？」
患者さん「勉強後に、スマホでYouTubeを見たりして眠くなって、付けっぱなしで寝てることが多いです」

　この患者さんの場合、スマートフォンやタブレット端末を1日6

時間ほど使用していました。こうした端末の使いすぎが首や肩のこりを引き起こし、緊張型頭痛を発症し、それが重くなって慢性連日性頭痛に移行したと考えられました。

また、スマートフォンから放たれる光成分はブルーライトといった、波長が380〜500nmと可視光線の中では最も短く強いエネルギーを持っています。スマートフォンだけでなく学校で配られるタブレットやパソコン、液晶テレビなどからもブルーライトは放射されており、日常的な曝露量が多いことが社会問題にもなっています。

目の網膜上には物体を認識する、いわゆる物を見るための細胞である錐体桿体細胞が知られていますが、近年、新たな細胞として、光を感じる受容体である「内因性光感受性網膜神経節細胞」が発見されました。

この細胞は受容体というよりは光を感じる専用の経路です。日光に含まれるブルーライトをこの受容体が感知し、脳の視床下部に働きかけることで日中、覚醒します。また、日中にブルーライトを浴びることにより、夜になるとメラトニンというホルモンが分泌されて眠くなります。このように24時間のサーカディアンリズム（概日リズム）がコントロールされています。

この日中に浴びるものであるブルーライトを夜間にスマートフォンなどを通じて浴びることでサーカディアンリズムが破綻し、昼夜逆転のような錯覚を脳が感じてしまうのです。また、メラトニンの量が減少することで睡眠障害が生じます。さらに朝起きられなくなると、セロトニンが枯渇し、頭痛が出現することも明らかです。Y君の体にもこのような状況が起こっていることが予想できました。

また、Y君からは、高校受験が間近であり不安や焦りの気持ちがある中、勉強が思うように進まないという悩みが聞かれました。受験のストレスもまた、頭痛の悪化の引き金になっていると思われました。そこで、気持ちを汲み取った上で、スマートフォンやタブレットの長時間使用は頭痛を悪化させるので注意すること、勉強の合間に、ストレッチをするなど、スマートフォン以外でストレス解消ができることを考え、実行してもらうようにしました。

Y君は塾の帰りに友だちと話をしたり、休みの日は勉強の合間にジョギングをするなど、生活習慣を改善。その結果、少しずつですが、頭痛がやわらぎました。受験が終わる頃には寛解に至りました。

KARTE 15

薬が効かない…登校を体が拒否する

慢性連日性頭痛の患者さんには、不登校や不登校気味のお子さんが多いことが明らかです。「学校に行きたくない」という強い心理的ストレスの拒否反応の形として、頭痛があらわれているのです。このため、問診では学校に行けているかどうか、また、学校が楽しいかや、楽しくない場合はその理由を丁寧に聞いていくことがポイントになります。ただ、学校に行けていないにもかかわらず、「学校が楽しい」と答える子どもは多いので注意が必要です。

G君（12歳、男子）はゴールデンウィークが明けた頃からほとんど毎日のように頭痛が起こるようになりました。同時期より日中のだるさが出現し、夕方には昼寝をするようになりました。朝起きることができなくなり、頭痛も強いものとなって学校に行けなくなりました。そして3週間という長期の欠席となってしまいました。

頭痛は小学生の頃にも時々ありましたが、学校を休む日は数えるほどでした。心配したお母さんと一緒に来院されました。

金中「12歳というと、中学1年生かな？」
患者さん「はい。そうです」
金中「どうしたの？　頭がいつも痛いの？」
患者さん「そうです。毎日頭が痛いです」
金中「毎日！　それはつらいよね。朝から痛いの？　それとも夕方になって痛くなってくるの？」
患者さん「朝起きた時からずっと痛い。てっぺんとか後ろとか、全体的に痛いです」
金中「痛みはどのくらい続くの？　今は午後3時だけどまだ痛む？」
患者さん「午前中ずっと痛みます。今は少しよくなってきてるけど」
金中「学校がない日、土曜とか日曜とかも痛くなるの？」
患者さん「まあ、少しは痛いですけど」
金中「例えば、頭痛が少なくなってきたら、遅刻して学校行こうかなって思わない？」
患者さん「いやぁ、思わないかなぁ。わかんないです」
金中「学校は嫌い？」
患者さん「いえ、嫌いじゃないです」
金中「えー、じゃあ行きたいよね。勉強は好き？　まぁ好きな人なんてそんなにいないかもだけど」
患者さん「勉強はあんまり好きじゃないです。特に国語と数学の先生が嫌い」
金中「何で先生が嫌いなの？」

患者さん「同じことばかり言うし、嫌味っぽいし、すぐ文句言ってくるから嫌い」
金中「お友だちは？」
患者さん「友だちとはしゃべるけど。そんなに多くないです」
金中「小学校からの同級生たちとはみんなバラバラなのかな？」
患者さん「半分くらいは同じ中学校に行っています」

慢性連日性頭痛の背景にある自己評価の低下

G君のように、不登校になる要因の一つとして、「子どもの自己評価の低下」が言われています。「自分は誰からも評価されていない」「何をやってもダメだ」という劣等感にさいなまれてしまう状況をイメージしていただくといいでしょう。

小学生では中学生よりもこうしたことは起こりにくい傾向にあります。なぜなら担任の目が一人ひとりに向いており、おとなしい子や友だち付き合いが苦手な子、勉強に遅れが見られる子などにサポートが行き届きやすい体制になっているからです。勉強が不得意であっても、「あなたは、誰にでも優しくできるのがいいところだよ」などと声をかけてもらえれば、自信が持てます。

一方、中学生では担任はいるものの、教科ごとに違う先生で、勉強は難しくなり、部活動も始まって人間関係が複雑になります。こうした中、自分を出せない子、几帳面な子、器用でない子どもは萎縮してしまい、多くの子どもと同じように行動できないと、自分を卑下しやすくなります。

真面目でいい子であればあるほど、ちょっとした失敗でネガティブな気持ちになり、そのストレスが体の症状としてあらわれます。その中で、最も多い症状が頭痛と言われているのです。

新型コロナに感染した後の頭痛でも、長引くと不登校になることがある

2020年の初めから始まった新型コロナウイルスの流行は、子どもたちにも多大な影響をおよぼしました。こうした中、新型コロナウイルス感染症の後遺症として頭痛が続き、結果的に学校を休みがちになっているお子さんも少なからずいるようです。

新型コロナウイルス感染症と頭痛の関係については、起立性調節障害の悪化あるいは「Brain fog」と呼ばれる後頭葉の血流低下などが関与していると、一部の文献では報告されていますが、明確なことはわかっていません。体位性頻脈症候群なども注目されています。

ただし、新型コロナウイルス感染症の後遺症による頭痛で不登校になっている場合、前述の慢性連日性頭痛の場合と同じように、根底には学校に行きたくない、集団生活に馴染まない、などの理由があることも多いようです。基礎疾患として神経発達症が隠れている場合があるのです。

子どもの頭痛を軽視してはいけない

頭痛が連日続くと、先に述べたように学校を休みがちになります。不登校になるとやることがなくなり、行動が変わります。つまりスマートフォンやゲームに依存してしまう傾向になるのです。

不登校を伴う子どもの頭痛の特徴

平日の朝に
頭痛の訴えが多い。

頭痛の治療薬（鎮痛薬）が
効きにくい、
あるいは効かない。

昼頃に良くなっても
登校しない。

頭痛で寝ていても、
スマートフォンやゲームの
画面は見られる。

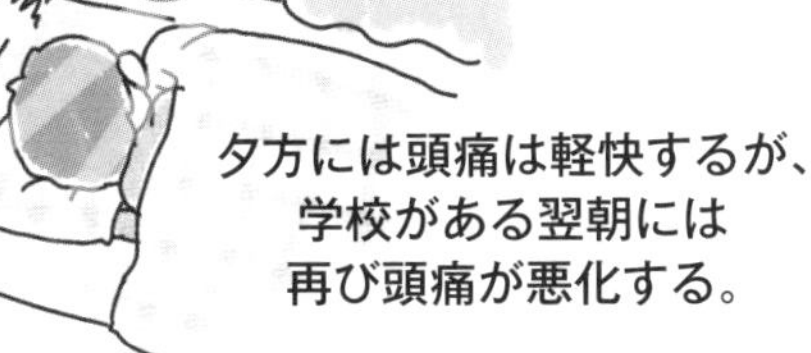

夕方には頭痛は軽快するが、
学校がある翌朝には
再び頭痛が悪化する。

吐き気、嘔吐などは
伴わず、食欲は普通。

昼まで寝ていて、夜に寝付けず、
昼夜逆転になることがある。

夜間までスマートフォンやインターネットを使ってゲームをするようになります。結果、昼夜が逆転して朝起きることができず、また学校を休んでしまうという、負のサイクルを形成してしまいます。さらに、不登校が長期化することで気分も変容し、孤独感や悲観的思考、抑うつ症状などが出現し、負のサイクルに加わります。その結果、欠席が長く続き、通常の生活に戻りにくくなるとひきこもりにつながりやすくなります。

文部科学省の調査によれば、不登校の小・中学生は2022年度、過去最多の29万9千人に達しました。これは全小学生の1.7％、中学生の6.0％にあたる数字で、過去2年間で10万人以上増えています。一方、内閣府の調査ではひきこもりの当事者は、推計146万人でこちらも減る気配はありません。このような社会事情を考えると、やはり子どもの頭痛は軽視できないのです。

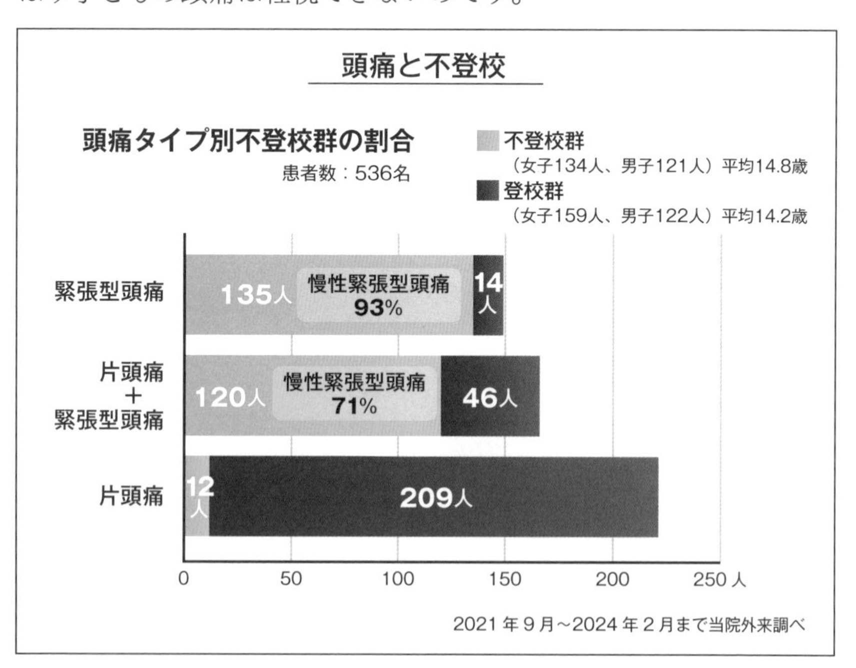

心の成長と共に、良くなるケースがほとんど

慢性連日性頭痛の治療では、「支持的精神療法（心理療法）」を重視しています。

これは治療者（医師や臨床心理士など）が、子どもと一対一で悩みや不安を傾聴し、その気持ちを理解した上で、子どもの存在や努力を支持していくものです。

大事なポイントとしては、子どもの訴えに対して、「それはいいけど、それはダメだよ」などと、善し悪しなどの価値判断は行わないこと。安易に「頑張れ」とも言いません。子どもにまずは気持ちを吐き出してもらい、その気持ちを受け止めた上で、スマートフォンの使用時間を少し減らしてみるなど、実行可能な提案を行いながら、子どもの自己評価を高めていきます。

子どもは最初のうちは、寡黙なことが多いですが、回数を重ねるうち、友だちのことや勉強のことなどを少しずつ、話してくれるようになります。複雑な気持ちを抱える中、診療に来るということは、子ども自身、「今のままではいけない」と思っているということです。そんな子どもたちを認め、支えるサポーターになっていきたいと考えています。

慢性連日性頭痛の治療法としては、以下のものがあります。

・**行動療法**

頭痛ダイアリー：子ども自身が頭痛ダイアリーに記載し、発作がいつどのように起こるかや、要因を探る。

小学生には自分で記録をつけるように指導する。

登校カレンダー：学校欠席が多い小学生などに、カレンダーで登校した日、休んだ日をつけてもらい、自分の行動を可視化する。

・支持的精神療法（心理療法）

子どもと保護者は別にする。

心療内科で治療を受ける方法もあるが、頭痛外来（子どもの頭痛を治療しているところ）でも受けることが可能なところはある。

・共存症の診断と対処

他の病気の影響で頭痛が続いていると判断された場合、適切な医療機関に紹介し、連携して治療を行う。起立性調節障害、過敏性腸症候群、不適切な睡眠（昼夜逆転など）、精神疾患（適応障害、うつ病など）。

親御さんには「頭痛があってよかった」と言いたい

頭痛外来にやってくる子どもの親御さんは、「頭痛が治れば、子どもは学校に行けるようになる」と信じていることが多く、「薬の効きにくい頭痛」の存在についてお話しすると、落胆されます。

しかし、筆者はそのような方に、「お気持ちはよくわかります。でも、お子さんの場合、頭痛があってよかったとも言えるのですよ」と話します。

頭痛があり、それをきっかけに医療機関を受診するということは、その奥にある「心の悲鳴」を、いきなり誰かに打ち明けることよりもハードルが低いと思います。そのため頭痛外来は頭痛を抱えた子どもにとって、通院しやすい診療科と言えるでしょう。

頭痛が続いているということは、子どもにとって心理的に何かつらいことが起こっている兆候です。頭痛がなく、学校を休むことだけが続いていたら、医療機関を受診することなく、不登校が長引いてしまうかもしれません。頭痛外来はそういった子どもにとっての突破口を見つけ出す入り口的存在であり、受診しやすい診療科にならなければいけないと思います。

子どもが不登校あるいは不登校気味になった場合、解決するためには相談先が多いほうがいいと言われています。頭痛で医療機関を受診することで、学校だけでなく、主治医や看護師などの医療スタッフが新たに子どものサポーターとして加わります。

診療の際には、頭痛の症状について聞く中で、子どもも自分の気持ちを少しずつ吐き出すようになります。こうした心の内を打ち明けられる大人が増えることは、子どもにとって心強いのではないでしょうか。

また、頭痛の引き金となっている心理的ストレスが家庭内の問題である場合もあります。「成績が下がると親にきびしく怒られる」「塾や習い事がつらく、やめたくてもやめられない」などのケースもその一つです。

子どもの頭痛をきっかけに、こうした子どもの本音がわかれば、親は自分の子育てを見直すことができます。子どもが本当にやりたいことをサポートすることができるようになると、親子関係もよくなります。ストレスが軽減することで、子どもの頭痛が改善傾向になることも多いのです。

繰り返しになりますが、思春期の子どもは体の成長に心が追い付いていない状態です。蝶でいえば「体は成虫、心は蛹」で、この未熟さが頭痛や不登校の引き金になっているのです。言い方を換えれば完全に大人になれば、「このままではいけない」と自ら気づき、行動を起こすようになります。

そういう子どもの成長を焦らずに見守っていくことこそが大人の役割でもあります。未来の子どもたちのために、学校、地域、医療機関が共に手を取り合うことが求められています。

COLUMN

他にもいろいろある、不登校のサポート体制

不登校のサポーターとして、学校や医療機関以外にも検討してほしい支援機関は複数あります。代表的なものとしては教育委員会主催の適応指導教室（教育センター）。不登校の子どもが学校生活へ復帰する支援のために、教育委員会などによって設置された施設です。学校とは別の場所にある場合と、学校の空き教室を使って行われている場合があります。

フリースクールは民間が行っている不登校の小学生、中学生の受け入れ施設です。明確な定義はなく、学習活動や教育相談をしているところから、体験活動ができるところまでさまざまなものがあります。このほか習い事も子どもの居場所として役立つことがあります。

高校生で不登校になった場合は、通信制の高校があります。また、アルバイトは子どもにやる気さえあれば、働く経験に加え人間関係が学べるので、とても有用だと言われています。

おわりに

筆者が脳神経外科医になったのは、医学部を卒業後、初期研修医として従事していた東京都立墨東病院の救急救命センターで担当した、ある患者さんがきっかけです。

筆者は子どもの「重症頭部外傷」を担当していましたが、ある日、小学生のお子さんが、転落事故による頭部外傷で運ばれてきました。主治医として、先輩の指導医師たちと共に手を尽くしましたが、脳の後遺症が残り、結果的に植物状態になってしまいました。

駆け出しの研修医であった筆者は、この様子を見てショックを受けると共に、脳という臓器の重要性を再認識しました。また、ご家族の悲しむ姿を見るにつれ、「脳の損傷があると生活をする上で大きな支障が生じ、周囲にとっても悲しみだけでなく、介護などの負担も大きい。一人でも多くの患者さんを、できるだけ後遺症なく脳の病気から救いたい」という思いが湧きあがってきたのです。

その後、墨東病院のほか複数の基幹病院で脳神経外科医としての研鑽を積み、開頭手術から脳卒中の血管内治療（カテーテル治療）まで、脳の治療技術を習得し、それを高める努力をしてきました。一方、多くの患者さんを診る中で、もっと早い段階で医療の手を差し伸べたいという思いが強くなってきました。総合病院はクリニックからの紹介患者さんや、救急搬送でやってくる重い患者さんが多く、「早期に発見できれば後遺症を軽くできたかもしれないのに」と思われるケースに出会うからです。

そこで二次性頭痛も含めた頭痛の診断から治療、脳疾患の引き金になる高血圧や脂質異常などの病気を、初期診療から画像検査まで、ワンストップで診ることのできるクリニックを考えました。クリニックで診療を受け、大きな病院への紹介状をもらっても「忙しい」などの理由で、受診を先伸ばししてしまう人は少なくありません。
また、多くの病院は午前中で診療が終わってしまいます。当院では土曜日の診療を行い、平日は夕方遅く仕事帰りでも受診できるように診療時間を設定しています。働き盛りのサラリーマンや学生さんはなかなか時間が取れません。そうした人たちがかかりやすいクリニックです。

開院後はおかげさまで、地域の患者さんはもちろん、東京以外の遠方からも多くの患者さんが来院してくれるようになりました。特に頭痛外来についてはお子さんから働き盛りの方まで、幅広い年代の患者さんが受診され、年間約3万人もの頭痛患者さんを診療しています。それだけ、頭痛は市民権を得ている症状であり、悩んでいる人が非常に多い病であることがわかります。
3万人から教えていただいた頭痛は極めて多彩ですが、共通するところもあります。頭痛は誰もわかってくれない、本人にしかわからない苦痛。一番つらいのは「孤独との戦い」そのものだということです。
この本で紹介してきたように、片頭痛をはじめ、慢性頭痛は正しい診断をした上で、適切な治療を進めていけば、どんなに重いものでも良くなります。逆に適切な診療を受けないと悪化し慢性化します。頭痛治療は患者さんごとに合う薬が異なり、生活の上で注意すべきことも少しずつ違います。こうした患者さんごとに合わせる治療には専門的な知識が必要であり、それができるのが頭痛診療を専門とした頭痛専門医です。

「頭痛が良くならない」と悩んでいる患者さんはぜひ、こうした専門性の高い「頭痛外来」に一度、足を運んでみてください。専門医が近くにいない場合は、「遠隔診療（オンライン診療）」という方法もあります。ガイドラインでも慢性頭痛に対する遠隔診療の有効性は認められており、実施する医療機関も少しずつ増えてきています。当院でも積極的に行っています。

頭痛が良くなれば、健康な人と同じように仕事や勉強でパフォーマンスを発揮できますし、休日にはスポーツやショッピング、旅行なども楽しむことができます。「頭痛持ちの私にそんな生活は無理」などとあきらめることはありません。頭痛外来をきっかけにあなたの苦痛がやわらぎ、少しずつでも明るい未来が訪れることを願っています。

2024年5月

頭とからだのクリニック かねなか脳神経外科　院長　金中　直輔

頭痛専門外来へ行こう！

2024年 6月19日　初版第1刷

著　者 ——— 金中直輔
発行者 ——— 松島一樹
発行所 ——— 現代書林
〒162-0053　東京都新宿区原町3-61　桂ビル
TEL／代表　03(3205)8384
振替00140-7-42905
http://www.gendaishorin.co.jp/

ブックデザイン＋DTP ——— 吉崎広明（ベルソグラフィック）
カバーイラスト ——— capibara medical illustration　小林奈加
本文イラスト ——— 村野千草

印刷・製本：㈱シナノパブリッシングプレス
乱丁・落丁本はお取り替えいたします。
定価はカバーに表示してあります。

ISBN978-4-7745-2008-7 C0047